留学で人生を棒に振る日本人

——〝英語コンプレックス〟が生み出す悲劇

栄 陽子
Yoko Sakae

扶桑社新書 008

まえがき

世界の中で、高校受験、大学受験、就職試験に至るまで英語を課しているのはおそらく日本くらいじゃないでしょうか。英語ができないのは頭が悪いと思い込んでいる人がいるくらい、日本人は英語コンプレックスを持っています。これは、ひたすら英語が学力を試される対象とされているからに違いありません。

いくら小学校から英語を教えても、このコンプレックスの原因を解決しなければ、日本人は本当の意味で英語をモノにすることなんかできません。

語学とは本来、体で覚え、何かをするために使う〝道具〟です。いくら自分の運命を決めるためとはいえ、テストのために勉強するということがなくならない限り、日本人が真の英語力を身につけることは難しいでしょう。

私は留学カウンセラーという名称を日本で初めて名乗り、三十五年以上アメリカの進路指導の先生と同じように、アメリカの高校や大学、大学院への進路指導を行ってきました。英語力が高かろうが低かろうがきちんと高校や大学に入学させ、卒業するためのノウハウを教えてきました。

留学で人生を棒に振る日本人

栄　陽子
yoko sakae

私がお世話をしてアメリカ留学に出発する人達には、「留学するほど恵まれているのだから、必ず卒業し、そしてどこかで社会に対して貢献するように。日本や世界を支えるひとりとなる志を持つように」といつも激励してきました。

戦後、日本は国民皆平等と叫ぶあまり、企業で係長くらいになれる人の教育を熱心にしてきました。

係長くらいの人ですから、決断力より課された仕事を黙々とこなすことが大切とされ、集中力・記憶力・自己管理能力を強く要求されました。学校教育者にとって、こういう能力は簡単にテストしやすいので、とても都合のいいことでもあったのです。

したがって日本は、いわゆる「お勉強」という意味では優秀な人間が増えたかもしれません。しかし残念なことにリーダーになれるような人間を数多くは養成できませんでした。

一方で、世界は日本の係長レベルの人間を輩出するだけでなく、たくさんのリーダーも養成してきました。リーダーは、もちろん社会や国家につくす人でなくてはなりません。

このままでは、日本はいつか世界に取り残されかねないと思います。

十八歳になれば家から出て、大学で寮生活をして親離れをする。大学在学中に自分を見つけ、生きる方向性を考える。もともとリーダー養成のために創設され、分析力と判断力と決断力を学ぶ場がアメリカの大学です。こうした教育にとても魅力を覚え、「英語力なんか気にするな。留学する者、自分を鍛えよ。自分に自信を持て。世の中のためになる人間になれ」と、たくさんの人をアメリカに送り出してきました（また、なんとかよりよい留学をしてもらうために、経済産業省の独立行政法人・中小企業基盤整備機構から援助をいただいて、「アメリカ大学ランキング」というウェブサイトを作成しています（URL http://www.ryugaku.ne.jp/）。加えて、福岡県教育委員会の留学プロジェクトのお手伝いをして、留学を希望する子ども達の進路指導に携わる方々の指導、いわば「進路指導のための進路指導」を目指しています）。

日本には英語力をつけることが留学の目的と考えている人が、まだたくさんいます。またその心理を利用した留学エージェントができては消え、消えてはできの連続で、世界のあちこちでちょっと考えられない留学をしている日本人がワンサといるのです。アメリカの南部のさびれた町のさびれた大学に日本人が二百人もいるとか、カリフォルニアのロン

グビーチにあるアパート一棟に住んでいるのが全員日本人留学生とか……。しかもその人達が目的としていた英語力さえ身につかないといった有様です。

　また、英語を学ぶのは早ければ早いほどよいからと小学生をひとりで留学させ、自分のアイデンティティーを失ってしまって立ち往生するといったような「帰国子女問題」を親ぬきで経験してしまうことすら起きています。

　本書では、私が見聞きした世界中のあちこちで起きていることを紹介するとともに、英語はなんのために、留学はなんのために、もう少し突っ込んで教育とはなんのために、ということを考えてみたいと思います。

　アメリカには大学が約四千校もあると言われていますが、イギリスには約百校、オーストラリアには四十校、ニュージランドには八校しかありません。世界の総人口の一％しか大学には行っていないと言われています。こういった事情のため、本書はアメリカ中心になりましたが、各国への留学を考えることにもお役に立てば幸いです。

目次

第三章　思い込みと勘違いが「失敗留学」を招く

第四章　各国の教育システムさえ理解できない人達

第五章　危ない留学仕掛人

第一章　これが〝留学〟!?　知らなかったその実態

四年間のアメリカ留学で得たものは……

「生きた英語を学びたい」。そう考えてアメリカに留学したA君は、まさに〝自由〟を満喫していました。いきなり大学へ入学することはできなかったものの、留学生のための英語クラスに在籍することができたし、日本人留学生の友達同士でアパートを借りることができたのですから。アパートには同じ英語クラスの日本人が入れ替わり立ち替わり出入りしていて、いつも必ず誰かがいます。その中にはもちろん女の子だっています。英語クラスは日本人留学生ばかりでしたが、気の置けない仲間と授業を受け、学校が終わればアパートに戻り、みんなで夕食を作ったり、買い物に行ったり、週末には日本食か中華料理のレストランに行く……。そんな楽しい生活に、A君は夢中でした。

大人が見たら「自堕落な生活」と眉をひそめたかもしれませんが、そんな言葉は「これぞ青春!」という思いにたちまち打ち消されてしまいます。そして、ただ日々は過ぎていきました。

そんなある日、A君は自分がアメリカに来て一年が経っていることに気がつきました。英語がうまくなることが目的だったのに、いまだに英語力がさっぱり上がっていないことも。当たり前です。英語を話すのは、英語の授業で教師に何か聞かれたときと買い物をす

るとき、レストランで注文するときくらいしかないのですから。

これじゃ日本で英会話学校に通っているのと同じではないか、このままでいいのだろうか、という不安がふくらむ一方で、いつも仲間達と集まって、形ばかりでも盛り上がっていないと落ち着きません。

授業だって真剣に聞いているつもりですが、日本で受けていた英語の授業のように、習ったそばから忘れてしまいます。

留学二年めになっても英語の授業のみということが分かったとき、初めてA君は怖くなってきました。だらだらと日々を過ごす日本人留学生仲間とようやく別れを告げ、ひとりでアパートを借りることにし、コツコツと勉強をし始めたのです。

そして、留学して二年が過ぎた頃、ようやくアメリカ人と一緒の授業を取ることができました。初めは恐る恐る授業に出ていたのですが、少しずつ教師の言うことが分かるようになってくると、A君はまた愕然としました。

どう考えても、授業内容のレベルが低いのです。数学など、日本の小学校レベルの問題が解けない学生がたくさんいるのです。

落ち着いて周囲を見渡すと、学生の年齢層が高く、しかもほとんどの学生が働きながら

学校に来ていることが分かりました。また、パートタイムといって、いくつかの授業だけを取っているアメリカ人がとても多いことも知りました。

学校にはさしてクラブ活動もなく、授業が終わると学校を飛び出して仕事に行くアメリカ人の学生達と、仕送りをもらいながらアパートでひとり暮らしをしている自分との間の距離は縮まりそうになく、深い友情など望むべくもありません。

英語力はなかなか上がらないものの、辞書を引きながら予習すれば授業は思いのほか簡単で、あっという間に二年が過ぎ、A君は四年かかって大学を卒業しました。

アメリカの大学を立派に卒業し、帰国したA君を父親はことのほか喜んでくれました。さっそく自分のコネクションを使って外資系の会社に就職できるよう、動き始めました。

アメリカ留学の経歴があれば、どこにでも就職できる。そう考えたA君と父親でしたが、現実はそうではありません。どこに履歴書を出しても、やんわりと断られてしまうのです。

不思議に思ったA君の父親は、アメリカの大学を卒業した友人に相談してみました。

すると、その人は気の毒そうにこう言ったのです。

「卒業したといっても、息子さんが留学したのは〝コミュニティ・カレッジ〟ですよね。ここはカレッジとはいうものの、どちらかというと低所得層に属する人達が、初歩的な技

術で得られる職業に就くために通う、職業訓練所のようなところでもあるんですよ。地域の人間なら誰でも入れるし、日本の学力レベルで言えば商業高校、工業高校の夜間部みたいなところと思って間違いないでしょう。それにね、日本の外資系企業の留学経験者といったら、アメリカの一流大を卒業した人達ばかりだから、息子さんの経歴では厳しい……というか、はっきり言って無理です」

その人は、最後にため息まじりにこう付け加えたそうです。

「なぜ、事前にもっと調べなかったの？」と……。

絶望のあまり一気に老け込んでしまったような父親からこのことを聞かされたA君は、四年間の留学生活の中で感じ続けた〝違和感〟の正体を、やっと理解できました。

途方に暮れるA君の前に、母親はそっとノートを差し出しました。

それは、留学エージェントへのコーディネート料から渡航費、学費、生活費など、留学にかかわるすべての費用が事細かにつけられた帳簿でした。

親も泣いたお嬢様の大変貌

「先生、相談に乗ってください。娘が、娘が別人になってしまったのです」

そんな悲痛な電話を受け取ったのは、ある夏のことでした。

電話の主は品のよい話し方をされる紳士。「こんな変な相談でもよろしいのでしょうか？」と何度も繰り返し、相当混乱されているようです。

話を詳しく聞いてみると、娘さんは小学校から高校まで東京都内の名門女子校に通い、高校を卒業後、アメリカに留学したそうです。

そして、日本を離れて一年。夏休みで帰国し、久しぶりに会った娘の姿にお父さんは息が止まるほど驚いてしまいました。

「まもなくアメリカに戻ると言うのですが、どうしても行かせたくありません。娘は、アメリカに行って変わってしまったんです」

さなぎから蝶になるように、年頃の娘がある日突然変わることはよくある話です。しかし、混乱しきったお父さんの声からは、それに終わらないものが感じられました。

あまりの切迫した様子に私は「一度娘さんと一緒にいらしてください」と、カウンセリングの予約を受け付けました。

数日後、仕立てのよいスーツを着こなしたお父さんと一緒にやってきた娘さんを見て、さすがの私も言葉を失ってしまいました。

娘さんの格好はいわゆる〝黒人ファッション〟。それどころか、たえず体がリズムを取るように揺れていて、今にも「ヘイ・ユー！」と叫んで踊りだしそうな雰囲気なのです。とても名門女子校の出身者には見えません。

人気俳優のエディ・マーフィーやデンゼル・ワシントンが演じる役柄を見てもお分かりでしょうが、ひとくちに「アメリカの黒人」と言っても千差万別。上等なスーツを着こなすエグゼクティブもいますし、言葉は悪いのですが、スラムの悪ガキもいます。

そして、目の前でリズムに乗って体を揺すっている娘さんは、まさしくスラムの悪ガキのノリ。今にもストリート・ダンスでも踊りだしそうな姿を見たら、どんな親だって不安を覚えるのは当たり前です。多くの留学生や留学を希望する若い人達を見てきた私でさえ、思わず目をそむけたくなるのですから。

娘さんが留学したのは、ロスアンゼルスにある〝州立大学〟。こう聞けば、日本人の誰もが「なかなかいい学校に」と思うことでしょう。

しかし、州立大学といっても、彼女が通っているのは「コミュニティ・カレッジ」。日本人が思い浮かべる〝大学〟に当てはまるところではありません。

アメリカでは高校まで義務教育なので、高卒の学力は日本の中学三年生くらい。高卒で

社会に出たら、職種は当然のごとく販売や工業などの肉体労働に限られてしまいます。しかも、アメリカでは「先輩・後輩」という考え方があまりないため、どこで働くにしても、先輩が手取り足取り教えてくれるケースは限られています。そのため、肉体労働以外の職業に就こうとしたり、同じ肉体労働でも専門的な職種に就くなどのステップ・アップをはかりたいと思ったら高卒ではまず無理で、職業訓練所に通う必要があります。そのために設けられているのが二年制の「コミュニティ・カレッジ」なのです。

二年制といっても、日本の短大とは少し違います。

アメリカには英語も分からず、底辺の仕事しかない移民の人達がたくさんいます。「コミュニティ・カレッジ」のもうひとつの役割は、そんな移民の人達に英語習得と職業訓練をさせること。そのため、地域によってはいわゆるマイノリティと呼ばれる人達ばかり、ということも珍しくありません。

昔はお嬢様だった彼女が留学した「コミュニティ・カレッジ」も、まさにそんな学校でした。

若い人達は、若さゆえ吸収が速いものです。とくに新しい土地に行ったときは、体験するものすべてを吸収し、身につけてしまうでしょう。そのため、初めて訪れた〝アメリカ〟

の環境が、その人にとっての〝アメリカのすべて〟になってしまうことは、ごく自然のことです。

しかし、その〝アメリカのすべて〟が、いつもリズムに乗って体を揺らしているストリート・キッズの黒人だったとしたら……？

彼女にとってのファッションも、リズムに乗らずにいられない体も、英語のしゃべり方も、すべて「これがアメリカよ！」ということなのでしょう。しかし、そうではないアメリカ（こちらのほうが、実は大半です）を知っている私にしてみれば、つい眉をひそめずにはいられません。

ご両親が「なんてことだ。娘が変わってしまった」と思っても、残念ながら後の祭り。娘さんはきっと、ご両親にこう言うことでしょう。

「お父さんもお母さんもアメリカを知らないのよ。私はね、アメリカで英語を使って生活してるし、アメリカ人の友達もいっぱいいるの。アメリカでは、みんな独立して働きながら学校に来ているの。私、みんなを尊敬しているわ。私もいつか働きたいの」

大切に育てた娘がこんな変貌を見せたとき、いったい親はどうすればいいのでしょう。「泣くに泣けない」とは、まさにこのことではないでしょうか。

ちなみに、「コミュニティ・カレッジ」への留学が一番多いのは、日本人。最近急増している中国やインドからの留学生がコミュニティ・カレッジに入ることは、まずありません。

打ち砕かれたＵＣＬＡの夢

「ＵＣＬＡに留学したい」。それがＣ子さんの昔からの夢でした。小学生の頃からピアノを習い、読書家で、いつも成績はトップクラスの秀才だったＣ子さんは、中学生になるとアメリカ留学の夢を抱くようになり、コツコツと英語の勉強を続けてきたといいます。ところがお嬢様育ちだったＣ子さんがひとりでアメリカに行くなんて、両親は「とんでもない！」と大反対しました。仕方なく日本の大学に入学しましたが、ＵＣＬＡの夢はふくらむばかり。思い詰めるあまり英会話学校に通うようになるとすっかり大学に行かなくなってしまいました。そんな娘の本気ぶりにとうとう親も折れて、アメリカ留学を許したのです。

親の許可をもらったＣ子さんは、さっそくネットで調べた留学エージェントの下を訪ねました。もちろん、留学希望先はＵＣＬＡです。ところが、エージェントは「日本人がＵ

CLAに留学するのは、まず無理です。日本人は四年制の大学じゃなくて、最初は二年制のコミュニティ・カレッジから始めないと、ついていけませんよ」と言いました。(注)TOEFLのスコアが五百五十点あったので、コミュニティ・カレッジには問題なく入れると言われてすっかり安心したC子さんは、入学手続きのすべてをエージェントに任せ、日本を旅立ちました。

コミュニティ・カレッジには寮がないのでホーム・ステイ先を紹介すると言われましたが、その紹介を断って最初からアパートでひとり暮らしをすることにしました。もともとひとりでコツコツ勉強するほうが自分に合っていたし、何より目的はUCLAに入ることですから、友達をたくさん作りたいとか、アメリカの家庭を知りたいという気持ちもC子さんにはありませんでした。だから、寮のないコミュニティ・カレッジは自分に合っているように思えたのです。

ところが大学に入ると、とまどいの連続です。日本の大学だったら三週間くらいオリエンテーションがあって各学年で取得する単位や授業の取り方などを手取り足取り教えてくれるというのに、ここではオリエンテーションはたったの三日間。それもキャンパスの中を案内してくれたのと、図書館の使い方を説明してくれるくらいで、担当教授に会ったら

あっという間に時間割が組まれて、すぐに授業が始まってしまったのです。

アメリカの大学って、こういうものなのね……と一時は納得したC子さんでしたが、初めての授業を受けたとき、またなんとも言えない違和感を味わってしまいました。

なんといってもクラスの雰囲気が悪いのです。いくらアメリカだからとはいえ、ガムを噛んでいる学生やコーラを飲んでいる学生、ずっとおしゃべりしている学生、携帯電話をかけて笑っている学生もいて、とても勉強をするどころではありません。しかも彼らが話している言葉は英語でなくスペイン語です。複雑な気持ちで教科書を開いたC子さんは、また驚いてしまいました。オリエンテーションのとき大量に買わされた教科書は、どれもレベルが低く、数学なんてどう見ても日本の中学レベルです。C子さんが愕然としていると、さっきまでふんぞり返ってスペイン語でおしゃべりしていた学生が先生に質問をしました。「……それ、さっき先生が説明していたことじゃないの！　聞いてなかったの？」C子さんはそう叫びたい気持ちを抑えるのが精一杯でした。

それでも憧れのUCLAに行くにはここで勉強するしかないと、C子さんは毎日真面目に授業に出席しました。教室は日を追うごとに殺伐としていきます。授業に来なくなる学生は増え、残った学生達の態度はますます悪くなっていくからです。初めから終わりまで

メイクに熱中している女の子や、音楽を聞きながら体を揺すっている男の子の姿は、もう当たり前になってしまいました。授業中ずっとおしゃべりしているのに、ディスカッションになるとみんな黙り込んでしまうのも、もう慣れっこです。

うんざりした日々が一か月半ほど続いたある日のこと、突然先生が「来週テストがあります」と言い出すではありませんか。中間テストです。なぜこんなに早く中間テストがあるのか、さっぱり分かりません。

C子さんは混乱した頭で担当教授とアポを取り、相談に乗ってもらうことにしました。「なんでこんなに早くテストがあるのか、分かりません」そう言うC子さんに、教授は少しあきれた顔で言いました。「スクール・カタログを持ってないの?」と……。そして、わけも分からず呆然としているC子さんに、教科書のような本を差し出しました。それがスクール・カタログだったのです。

中を見ると、大学の理念や年間カレンダー、卒業までに必要な単位、必修科目、選択科目、各クラスの概略など、この大学に関するすべてのことが書いてあるではありませんか。もちろん、テストの日程も書いてあります。C子さんは、アメリカの大学は単位制で、卒業に必要な単位さえ取れば二年制大学を一年半で卒業してもかまわないこと、各学期は十

六週間で独立していて、八週間めで中間テスト、次の八週間めで期末テストがあることを初めて知りました。

「ウェブでも公開しているから、日本からでも見られるはずなんだけど。でもまぁ、本のほうが見やすいよね」

教授はそう言って笑ってから、呆然としているC子さんに真剣な表情で言いました。

「前から言おうと思ってたけど、どうしてこの学校に来たの？　君は真面目だし優秀だ。ここは君みたいな学生が来るような学校じゃないよ。もっとちゃんとした学校に行くべきだ」

その言葉の意味が、C子さんには分かりません。教授は気の毒そうに続けます。

「もう分かってると思うけど、ここはどちらかというと所得も学力も低い人達のための学校だよ。だいたい、アメリカ人なら二千ドルも出せば誰でも地元の四年制大学に入れるけどね。ここからUCLAに行く人もいることはいる。でもごくわずかだ。君は初めからUCLAに行くべきだったよ。そりゃ、UCLAは州外の学生や外国人はあまり採らないけど、それでも試す価値は、君ならあったはずだ。もしUCLAが無理でも、ほかにリベラルアーツ・カレッジなど、いい学校はいっぱいあるんだよ」

その言葉に、C子さんは目の前が真っ暗になるのを感じました。そして、まっすぐアパートに戻ると、それから一週間泣き暮らしたそうです。少し落ち着いてから日本に電話をかけ、母親の声を聞くとまた涙があふれます。母親は事情を聞くと、「帰っておいで」と優しく言ってくれました。

C子さんが荷物をまとめて日本行きの飛行機に乗ったのは、その翌日のことでした。

広いアメリカのきゅうくつな日本人社会

「コロラド大学付属英語学校」。それがD君の留学先でした。もちろん、最初から大学に留学したかったのですが、「あなたのTOEFLのスコアでは、大学には入れません。まず英語学校で勉強してTOEFLのスコアを上げてください。そうすれば大学に入れますよ」と留学エージェントに言われ、がっかりしつつもがんばってTOEFLのスコアを上げようとやる気に燃えて高校を卒業後、六月にアメリカまでやってきたのです。

その英語学校には日本人がたくさんいました。学校の寮には一年以上ここにいるという日本人もいて、シャワールームやカフェテリアの使い方を教えてくれ、D君を始め新しく入学してきた日本人のための歓迎会まで開いてくれました。

まるで日本の大学の新歓コンパのようなノリでしたが、新人はみんなから厳しくチェックされていることは、はっきりと感じられました。しかも、日本人留学生の大ボスがいて、ボスとその取り巻き連中の言うことは絶対従わなければならないというのです。あまりのことにあっけに取られたD君でしたが、ラッキーなことに寮のルームメイトはアメリカ人で、日本人の先輩がいない部屋ではホッとくつろぐことができました。

D君は英語がしゃべれるようになりたかったし、早くTOEFLのスコアを上げて大学に入りたかったし、何より日本人の先輩達のチェックを気にしながら生活するのが嫌だったので、できるだけ日本人グループと接触しないようにして、寮にいるときは部屋で勉強することに決めました。

しかし、そんなD君に待ち受けていたのは、日本人からの嫌がらせでした。部屋で勉強していると、わざわざ数人でやってきては「オレの部屋で飲もう」とか、「みんなで遊びに行こう」と誘いに来るのです。ビールや漫画を持ってやってきて、D君の部屋で飲み始めようとしたことさえあります。「ちょっと勉強したいんで……」などと言おうものなら、「なんだ、ガリ勉!」と言われる始末です。せっかくアメリカに来たというのに、日本人同士の人間関係がこんなにめんどうだなんて、思いもよらないことでした。

たびかさなる嫌がらせにうんざりする毎日も、ルームメイトが「おまえはほかの日本人とは違うな。がんばれよ」と励ましてくれることだけが心の支えでした。

とにかくここから抜け出さなければならない、それにはTOEFLのスコアを上げて大学に入ること。そう思ったD君は、「今まで生きてきた中で、これほど必死になったことはない」というくらい一生懸命勉強し、ついに十二月の学内テストで高得点を取ることができたのです。「この点数なら、TOEFL五百点に相当する」と先生に言われ、やっと報われた気がしました。これで大学に入れると思って「いつから大学に行けますか？」と聞いてみると、先生から返ってきたのは「それなら、アドミッション・オフィスに行きなさい」という言葉。なんのことか分からないままにアドミッション・オフィスに行ってみると、なんと入学願書の締め切りは三週間後の一月十五日だというのです。九月入学の大学の願書締め切りが一月だなんて、思ってもいませんでした。ということは、この機会を逃すと、後一年待たなければならないことになります。D君は寮で騒いでばかりいるほかの日本人のことをちらっと思いました。みんな、どうするのだろう、と……。

ともかく「入学願書」を受け取り、親切なカウンセラーにアドバイスしてもらいながら願書を書きました。

大学に入るためには高校の成績証明書や、家庭の銀行残高証明書が必要と言われ、あわてて日本にいる親と連絡を取りながら必要な書類を揃えました。

ところが、数か月経って大学から「不合格」の通知が届いたのです。

留学エージェントは「TOEFLが五百点になったら大学に入れる」と言っていたのに、なんでこんなことになるのでしょう。D君はもう一度あの親切なカウンセラーの下を訪れましたが、彼女は気の毒そうに「残念だけどうちの大学は無理ね。近くにコミュニティ・カレッジがあるから、そこに入ったらどうかしら」と言うばかりです。

「コロラド大学の付属英語学校に入って、TOEFLが五百点になった。それなのに、コロラド大学に入れないなんて、おかしいと思いませんか?」

D君のお母さんは、怒り心頭といった様子で私のところに相談にやってきました。でも、お母さんが持ってきた高校の成績証明書を見て、私は思わずため息をついてしまいました。D君の成績は、五段階評価の三ばかり。これをアメリカの成績に換算すると、2・00ポイントということになります。コロラド大学はコロラド州のトップクラスの州立大学で、州内に住む成績3・00ポイント以上の学生が願書を出してきます。そもそもアメリカの州立大学は州内の学生を優先的に入学させるので、州外の学生は州内の学生よりもよい成

績を要求されるのがほとんど。それだというのに、成績が2・00ポイントでは、入学はかなり難しいといってよいでしょう。つまり、D君は英語力は上がったかもしれないけれど、学力が足りないので、成績を重視しないコミュニティ・カレッジくらいにしか入れない、というわけなのです。

このことを説明すると、お母さんは信じられない、といった顔で黙り込むばかりです。「考えてもみてください。中国や韓国の人がいくら日本語ができたって、すんなり東大や京大に入れるわけじゃないですよね？　学力がなければ入学できっこないじゃないですか。アメリカの大学だって、同じなんですよ」

私の言葉にお母さんはようやく納得した様子ですが、それでも「留学エージェントは英語力が上がればと言ったのに……」と、最後までつぶやいていました。

ちょうどこの頃、D君と同じように、「付属の英語学校に行けば大学に入れると言われたのに、ウソだった」と言う日本人留学生がたくさん出て、留学エージェントは詐欺だ、と言われるようになってしまいました。

その後、多くの留学エージェントはアメリカの英語学校と提携し、英語力が上がったら提携の大学に入れるようなシステムを作り上げました。しかし、提携校と称するのは、地

元の人なら誰でも入れるレベルのコミュニティ・カレッジや州立大学ばかりだということを、いったいどれほどの人が理解しているのでしょう。とても疑問です。

ホーム・ステイは〝下宿屋〟

子どもの頃、アメリカのホームドラマを見て育ったEさんは、とにかくアメリカの生活に憧れていました。しかし、アメリカで暮らすなんて夢のまた夢。専業主婦になってからは、海外旅行さえしたことがありません。

そんなEさんは、息子に夢を託しました。アメリカに留学して英語がペラペラになって欲しい。ゆくゆくはアメリカで就職して、いつでも気軽にアメリカに行けるようになって欲しい。夢はどんどんふくらみ、息子が高校生になると、さっそく留学に向かって走り始めたのです。

息子はとくにアメリカでやりたいことはないと言いますが、「あなた、ロックが好きじゃないの。アメリカに行って、英語がしゃべれるようになれば、もっとロックが分かるようになるわよ」と我ながらむちゃくちゃな理由をつけて息子をその気にさせると、留学エージェントに相談し、まずは英語学校に入れることにしました。

「英語を学ぶには、ホーム・ステイがいいでしょう、ホーム・ステイ先は紹介します」と言われ、Eさんはますますうれしくなりました。自分の息子がアメリカの家庭で暮らすなんて、夢のようです。

「ほかにも日本人留学生を預かっているホーム・ステイ先ですから、安心ですよ」と言われ、Eさんはなんの不安もなく息子を送り出しました。

しかし、それから一か月も経った頃でしょうか。電話してくる息子の声が、次第に暗くなってくるのです。

聞いてみれば、ホスト・ファミリーとはほとんど話をしないと言うのです。そんなバカな話があるはずない、と詳しく聞いてみれば、息子ともうひとりの日本人留学生に与えられた部屋は半地下で、そこにはバスとトイレがついていて、そこの家族と顔を合わせることはほとんどないと言うではありませんか。

「朝ご飯くらい、一緒に食べるんでしょう?」Eさんがそう聞くと、電話の向こうで息子が少し怒ったような口ぶりになりました。

「違うよ!　一緒にホーム・ステイしてるヤツとふたりで食べるんだよ!　しかも、朝飯がなんだと思う?　コーンフレークだけなんだぜ?　大学生の男がふたりで小さいボウル

にコーンフレークを出して、牛乳をかけるとこ想像してよ。みじめったらしいったらありゃしないよ」

Eさんは毎朝きちんと朝食を作っています。それも、ベーコン・エッグとトーストにサラダという朝もあれば、納豆にみそ汁、ご飯に焼き魚という朝もあるなど、朝食の献立にバリエーションもつけていたのです。

「日本にいるときは色々文句言ってたけどさ、うちの朝飯が懐かしいよ」

そう言う息子の言葉に、Eさんはもう少しで涙がこぼれそうになりました。「おはよう」も言わずテーブルにつき、ぶすっとしたまま朝食を食べていた息子とは思えません。

Eさんが憧れていたのは、専業主婦のお母さんが毎朝絞りたてのオレンジジュースと焼きたてのトースト、ふわふわのスクランブルエッグにベーコンを添えた朝食を用意して、起きてきた子ども達や夫におはようのキスをするようなアメリカの家庭です。休日にはお母さんがパイを焼き、お父さんが子どもとキャッチボールするような温かい家庭こそ、アメリカの家庭だと信じていました。息子が海の向こうで送っている生活が、アメリカの現実だなんて、想像することもできなかったのです。

Eさんは息子を励まして電話を切ると、さっそく留学エージェントに電話をかけました。

もちろん、ホスト・ファミリーを変えてもらうためです。

留学エージェントは心なしかうんざりした声で「そうですか。では、なんとかほかを探してみましょう」と言ってくれたのですが、その後さっぱり連絡がありません。

このままでは息子が飢え死にしてしまう！　そう思い詰めたEさんは、私のところへ相談に訪れました。もちろん、よいホスト・ファミリーを紹介してもらうためです。

私はEさんの話を聞いて、思わずため息をついてしまいました。

実は、こういう話はとても多いのです。みなさんホーム・ステイと聞くと裕福で温かな、昔のホームドラマにあるようなアメリカの家庭を想像するようですが、現実はそうではありません。ホスト・ファミリーに名乗りを上げるのは、シングル・マザー（またはファーザー）の世帯や老人世帯が多く、自宅の空いている部屋を五十ドルか百ドルで貸すことができればラッキーというのが彼らの本音なのです。だいたい、今や世界のどの国でも、教育レベルの高いお母さんは仕事を持っています。裕福な家庭ではお父さんもお母さんも社交生活で大忙しで、自分の子どもを育てるだけで精一杯。とてもほかの子ども、それも言葉の通じない日本人を預かる余裕なんてありません。

しかも、日本人の男の子は評判が悪いのです。「おはよう」も言わずぶすっと起きてき

て、黙ってもそもそ朝食を食べて、何も言わずに出かけてしまうなんて、アメリカ人には耐えられません。一度日本人の男の子をホーム・ステイさせると、「二度とごめんだ」と言う人がたくさんいるのは、こうしたわけなのです。

留学エージェントがうんざりした声を出した、というのも無理ありません。今やホーム・ステイ先を探すのはとても難しいし、やっと見つけてもEさんのように「あんなホスト・ファミリーは嫌だ。ホーム・ステイ先を変えて欲しい」とか、「あんな家庭では息子がダメになる」という人が次々と現れるからです。

「最近のホーム・ステイは、どこでもそんなものですよ」とEさんにお話ししましたが、ついおせっかいで「そのうち同じ学校に通う日本人留学生のアパートに移って、車を買って欲しいって言うかもしれませんよ」と付け足してしまいました。

それから数か月経って、疲れきった声のEさんから電話がありました。

「息子が友達同士で一軒家を借りると言いだしました。しかも、〝ちょっと不便になるから車を買いたい。こっちではみんな車を持ってるし〟と言うんです。……先生がおっしゃっていた通りになってしまいました。どうすればいいんでしょう」

沈痛なEさんに、もはや私には返す言葉も残っていませんでした。

今や、ホーム・ステイは昔日本にあった〝下宿屋〟と同じだと思わなければなりません。留学エージェントもそれは分かっているのに、どうやらお客さんに本当のことを言うのが怖いようですね。困ったものです。

留学と同時に始まったものは……

「英語をマスターするには、できるだけ早いうちから」という考え方は、今や日本中に広がっているように思えます。その証拠に、小学校で英語を必須科目にするという動きがあります。保護者もそれを求めているという話を耳にすると、日本人の〝英語コンプレックス〟の根深さを思わずにはいられません。

「小学校から英語を必須科目に」というくらいならまだいいのかもしれませんが、これが少し経済的に余裕がある家庭になると、「できるだけ早いうちから子どもを留学させて、英語を完璧にしゃべれるようにしたい」と考えるようですね。

でも、「留学は子どもの人生を左右しかねない」ということを、子どもの留学を願う親御さんはどれくらい分かっているのでしょうか。

以前、「中学生の娘を、寄宿制の学校に留学させたい」というFさんが私の事務所にカ

ウンセリングに来られたことがあります。

そのFさんは娘さんが小さいうちに離婚し、女手ひとつで育ててきたといいます。しかし、仕事が忙しすぎて子どもと触れ合う時間がまったく取れないことに、長年悩み続けてきたのだとか。

「一緒に暮らしているのに、まったく触れ合いがなくて寂しい思いをしているよりも、遠く離れてしまったほうが気持ちが安定すると思うんです。それに、寄宿制の学校なら、子どもをしっかりと見守り、しつけてくれると思って」

これも親心です。Fさんの気持ちに納得した私は、この子を寄宿制の学校に留学させる手配をしました。

ところが、留学して寮での生活が始まると、なんとこの女の子はおねしょをするようになってしまったのです。それまでは、まったくそんなことはなかったというのに。

やはり、中学生といえどもまだ子ども。いくら仕事が忙しくてほとんど触れ合えないのだとしても、まだまだお母さんと一緒に暮らしていたかったのでしょう。それを無理矢理引き離されたことがストレスになり、おねしょという形で現れてしまったのです。

このことを知ったFさんは、すっぱりと我が子を帰国させました。日本に帰り、すれ違

いが多くてもお母さんとの生活に戻ったとたん、おねしょはすっかりなくなったそうです。

この例のように、親元を離れて留学をしたことにより、精神的に不安定になってしまう子どもは数限りなくいます。一時的なホームシックで、しばらくすると気持ちが落ち着くならいいでしょう。現に、高校生以上の留学では、そんなケースがたくさんあります。しかし、子どもが小さければ小さいほど、親元を離れて不慣れな外国で暮らすことは、想像以上のストレスになると思って間違いありません。仮にうまくいって海外での生活にも慣れ、英語がペラペラになって帰国するとしましょう。すると、今度は英語がしゃべれない親のことをバカにするようになってしまうのは、本当によくある話です。

私が「子どもが小さいうちの留学は、その子の人生を左右しかねない」と言った理由は、もうお分かりいただけたでしょうか。

（注）　現在、ＴＯＥＦＬのスコアには「ペーパー・ベース」「コンピュータ・ベース」「インターネット・ベース」の三種類があります。本書ではもっともなじみが深い「ペーパー・ベース」のスコアで表記しています。ちなみに、本書での「ＴＯＥＦＬ五百点」を最新の「インターネット・ベース」で換算すると、六十一点に相当します。

第二章　なぜこんな留学がまかり通るのか？

英語さえできればよいと信じる日本人

戦後の日本は、とにかく「アメリカに追いつけ、追い越せ」をスローガンに国を挙げてがんばってきたといえます。文化から工業製品まで、すべてのものが日本のものよりアメリカのもののほうが優れており、「やっぱり日本製はダメ」というのは、ほとんどの人が思っていたことでした。そして、アメリカに追いつくために必要な武器のひとつが、英語だったのです。

しかし、日本人はなかなか「英語をマスター」できなかったのです。いえ、正確に言えばきちんと英語を学んだし、英語力もついたのに、「ネイティブのような流暢な発音」が、なかなかできませんでした。

さらに日本人独特のシャイな性質が災いしたのか、「流暢な発音でしゃべらないと恥ずかしい」「自分の発音ではネイティブに通じない」と思い込んでしまい、「英語コンプレックス」が加速することになったのだと思います。

しかし、これはとてもおかしなことです。そもそも「流暢な発音」といっても、イギリス英語とアメリカ英語では発音が違いますし、アメリカでも北部と南部では発音が違うもの。どこの英語を指して「流暢な英語」と言っているのか、自覚している方は少数ではな

いでしょうか。

テレビで各国の政府高官が英語でスピーチをしている姿を見たことがありますか？　英語圏ではない国の高官が、かなりクセの強い英語をしゃべっていることが分かりますよね。「ドイツ語なまりの英語」「フランス語なまりの英語」から「ヒンドゥー語なまりの英語」まで、なんてバラエティに富んでいることか！　しかも彼らはそれを少しも恥じていません。だというのに、「ジャパニーズ・イングリッシュ」を恥じるのは、おかしなことだと思いませんか？

このように敗戦から続く「アメリカコンプレックス、英語コンプレックス」は、まさに日本人を支配していると言ってよいでしょう。

しかし、最近の若者はどうでしょう。最近の若者は、大人達のように「すべてのものは日本のものよりアメリカのもののほうが優れている」とは思っていないはずです。今やハリウッドが日本映画のリメイク作品を作ったり、日本発の文化がアメリカで注目されている時代です。

そんな時代に育った彼らは、「日本よりアメリカのほうが優れている」とは思っていないことでしょう。

でも、そんな彼らにも「英語コンプレックス」があります。これは、親世代の英語コンプレックスが押し付けられているせいもあるかもしれませんが、それ以上に大きな影を落としているのが、受験です。

日本ではどんな道に進もうと、あらゆる試験には必ず「英語」が含まれています。中学から高校、大学への入学試験はもちろんのこと、就職試験にまで英語が含まれているのは、よく考えてみれば不思議だと思いませんか？　その会社が英語を使ってビジネスをするのならまだ分かりますが、入社したら一切英語など使わない会社でも、入社試験に英語があるのは、おかしなことです。

このように、人生のあらゆるステップ・アップの機会に、採用するかどうかの判断に英語力が問われる日本では、「頭がいい＝英語ができる」ではなく、「英語ができる＝頭がいい」になりがちです。しかし、もちろんこれは大きな間違い。英語ができたところでほかの科目の成績が悪ければ頭がいいとは言えませんし、流暢な英語が話せたからといって、当然知っているべきことを知らなかったり、常識がなければ話になりません。

ところが、「英語がペラペラになりたい」と考える人は、どうやら英語ができることと頭がいいこと、もっと言ってしまえば勉強ができることを混同しがちです。

私のところに「我が子を小学校からイギリスに留学させたい」と相談に来た人がいました。この方は「我が子をいずれハーバード大かケンブリッジ大に入れたい」と考えていました。「小さな頃から英語をマスターし、ネイティブ並みの英語力が持てれば、ハーバードでもケンブリッジでも入れるはず」と思っていたのです。しかし、これは先に触れましたが、「日本語が堪能な外国人」のことを考えてみれば分かるはず。外国人なのに日本語が堪能だからといって、東大に入れるわけではありません。このたとえ話をすると、だいたいの方は納得してくれるのですが、それにしても「英語ができればどんな一流大にでも入れるはず」と考える人は、想像以上に多いものです。

いわば、多くの人にとって「英語」は自分の人生をステップ・アップさせるための、オールマイティな切り札なのでしょうね。

確かに、人生をステップ・アップさせるためには多くの武器が必要です。それは「財力」だったり「機転」だったり「家柄」だったり「美貌」だったりと様々で、「語学力」は武器のひとつと言えるでしょう。しかし、決してオールマイティではありません。なぜなら、それがどんな言語であろうと、「言葉」は「単なる道具」だからです。ネイティブ並みの流暢な発音で英語がしゃべれたとしても、文化や芸術、政治経済を語れるだけの教養がな

ければ、あるいはネイティブと対等に討論ができなければ、それは「宝の持ち腐れ」になってしまいます。「英語ができれば人生思いのまま」という考えは、「このアイテムさえ持っていれば人生思いのまま」と同じです。道具は使いこなす能力が不可欠だということは、もはや言うまでもありませんよね。

外国に渡れば英語が堪能になると信じている日本人

最近アメリカの大学では中国人やインド人の留学生も増えています。彼らと日本人の大きな違いは、「英語を習得する」ことを留学の目的にしていないということ。中国やインドの人達がアメリカの大学に留学するのは、より高いレベルの学歴を身につけて母国でステップ・アップするためであり、アメリカで人脈を作ることによって高い地位を獲得すること、そして母国の発展に寄与することを目的としています。

これに対して、「英語が堪能になるため留学する」ことが多く、「外国で生活すれば英語がうまくなる」と信じているのが日本人ですが、これは本当なのでしょうか。

単に「英語がしゃべれるようになる」「英語で日常会話ができるようになる」ことなら、アメリカで一か月も生活すればそれは簡単に実現できるでしょう。そういう意味では、

「外国に渡れば英語がしゃべれるようになる」のは確かなことです。ただ、問題は「どんな内容を話しているか」ということ。どうやら「英語がペラペラになりたい」と考える人達は、このような観点がすっぽりと抜け落ちているように思えてなりません。

繰り返しますが、アメリカで一か月も生活すれば、英語はしゃべれるようになります。しかし、それはあくまで日常会話ということです。簡単なあいさつから、「これいくら？」「これは何？」などはたちまち言えるようになるし、買い物に行っても何をしても、たいていのことは〝見れば分かる〟ので、いちいち話さなくてもさほど困ったことになりません。

でも、例えば「日本文化について」「日本の政治について」あるいは「日本とアメリカの大学の違い」や「日本の若者が抱えている問題について」などを語れるかというと、これは難しくなってきます。

アメリカには、移民の人達がたくさんいます。彼らは自分の国では食べていけないほどの貧困から抜け出すためにアメリカに渡ってくるのですが、多くの人達は英語がまったくしゃべれないのにアメリカにやってきます。しかし、アメリカでなんとか仕事を見つけないと生きていけないから、それこそ必死に英語を学んでいくのです。

仮になんとかトイレ掃除の仕事を見つけたとしたら、トイレや掃除にまつわる言葉から覚え、トイレにやってくる人達の会話に必死で耳を傾けることで、次第に英語を学んでいきます。そして、もっといい仕事にありつくために、死にものぐるいで英語をマスターしていくのです。

英語をマスターすることは、アメリカで生きていくために不可欠なことだし、英語を覚えられないから自国に帰ったところで生活ができないから、その努力は「必死」としか言いようがありません。

「外国に行きさえすれば英語がしゃべれるようになる」と考える日本人に欠けているのは、まさにこの「必死さ」と言えるでしょう。

これは日本が豊かな国だからこそ抱えている問題なのかもしれません。生きていくためにブラジルに移住した時代ならいざ知らず、今の時代「日本では生活できないから、アメリカで一旗あげて」という人はまずいないでしょう。そのため、たとえアメリカで生活をするチャンスに恵まれても、「だめだったら日本に帰ればいいや」という考えがどうしてもつきまといます。

語学留学と称してアメリカに渡っても、結局触れ合うのは日本人留学生ばかりで、日常

会話以上の英会話レベルが身につかないという人は、本人の「必死さ」がないということの証明としか言えません。

ネイティブと日常会話以上の会話を交わすためには、「アメリカにいる間は日本語は一切しゃべらない」「たとえ英語に自信がなくても、積極的に自分から話しかけて会話のスキルを高める」「会話のためにおしゃべりのネタを常に考える」などの努力が不可欠です。「英語を勉強するため」ではなく、「英語で勉強する、英語で何かをする」と頭を切り替えない限り、本当の英語力は身につかないもの。これは長年留学カウンセラーとして仕事をしてきた私の実感です。

自分の英語力への願望を子どもに押し付ける親達

小学校でも本格的に英語の授業を導入すべきかどうかという論議がわいたとき、ある調査が行われました。

それは「子ども達に何歳から英語を教えるべきか」というもの。これに対して二十代の若い親達の答は「早ければ早いほうがいい。できれば幼稚園くらいから」というものが圧倒的でした。

みなさん、我が子をバイリンガルにしたいのでしょうね。でも、日本語の力が充分でないうちに英語ばかりの生活に入ってしまうと、日本語も英語もめちゃくちゃになってしまうというのは、本当によくある話なのです。

偏差値世代である今の若い親達は、受験のたびに英語で苦しめられてきた世代です。しかも、学生時代や社会人になってからたびたび海外旅行をし、「中学から英語を学んできたのに、まったく海外で役に立たなかった！」という苦い思いをしてきたことでしょう。

そのため、「受験で苦しまないために」という思いと、「役に立たない受験英語ではなく、〝生きた英語〟を身につけないといけない」という思いの両方を抱いているのもこの世代と言ってよいでしょう。

その上の世代は「英語を始めるなら小さければ小さいほどよい」とまで思っているのは一部にせよ、幼い頃からアメリカの文化に触れ、憧れが強いあまりに「アメリカコンプレックス、英語コンプレックス」が根強く、やはり「子どもには英語が堪能であって欲しい」という思いを抱きがちです。

こんなふうに自分自身が「英語を身につけなければ」と思っているなら、自分が英語を学べばよいと思うのですが、どういうわけか親達は自分が果たせなかった願いを子どもに

託してしまう傾向があります（もっとも、これは英語に限らずすべてにおいてそうだと言えますが）。

そのため、英語力への願望を子どもに押し付けてしまうのです。

自ら「アメリカ留学をしたい」とか「英語を学びたい」という願いを持って、留学を希望する子ども達は、もちろんたくさんいます。しかし、その一方で多いのは、「本人よりも熱心に留学を希望する親」なのです。とくに、小学校や中学、高校からの留学では、「親のほうが熱心」というケースがより多くなります。

親自身が日本でのサクセスに見切りを付け、アメリカ（もしくはほかの国）で一旗あげたいと思っている、あるいは仕事の都合でアメリカに転勤することになったと言うなら、家族揃ってアメリカに移住することもあるでしょう。そのために、子どもを小さいうちからアメリカの学校に入れるということなら、これは仕方ないでしょう。しかし、そうでもないのに子どもをアメリカの学校に入れたいと願う場合、「親の英語願望」が背後に隠れているケースがほとんどです。

こんな親達が目標としているのが、帰国子女と言えます。小さい頃から海外で暮らし、英語と日本語を操るバイリンガルに我が子を育てたいと願っている親は、とても多いもの

です。

しかし、そんな方達のほとんどが、海外で子育てをしている日本人家庭の苦労を知りません。

言葉とは不思議なもので、母国語の力以上に外国語は伸びない、という特性があります。つまり、母国語の方が小学生レベルなら、どんなに長く外国で暮らしていようと、外国語は小学生レベル以上にはなりません。しかも、外国生活に移ったために、母国語のレベルもそこで止まってしまうのです。

だからこそ、家族揃って海外生活をしている家庭では、我が子が日本語を忘れないために、大変な苦労をしているものです。とくに漢字は大変です。

一生海外で暮らすにしても、日本語も英語も話せたほうがいいに決まっています。しかし、海外赴任の家庭は、いずれ日本に帰ります。そのとき、日本語がまったく話せなかったら、どうでしょう。

多くの帰国子女は、日本に帰ってから日本語で大変な苦労を強いられます。「英語は堪能だけど、日本人なのに日本語が不自由」では生活に支障が出るばかりではなく、差別の対象になってしまうのを知っているからこそ、海外赴任をしている家庭では、日本語の学

び方について悩んでいます。

小さいうちは外で「助けて！」ととっさに叫べないと困るので英語を教えますが、ある程度の年齢になったら「家の中では日本語しか話さない」というルールを決める家庭が多いという話は、バイリンガルに育てることの難しさを痛感させてくれます。

子どもに英語がうまくなって欲しいと思う気持ちは、よく分かります。しかし、それはあくまで〝自分の願い〟だということを、親は自覚しなければなりません。「あなたのためにに」とか「これだけお金を使っているのに」という言葉でごまかしていても、子どもはウソを見抜くものです。子どものお尻を叩くより、自分が英語を勉強している姿を見せたり、英語が話せたらどんなに素晴らしい可能性が広がるかを話すなどして、さりげなく子どもを導いてその気にさせたほうが、よっぽど効果が上がります。

留学させたいなら、子どもから「留学したい！」と言わせること。それが一番大切なことです。

留学に期待が大きすぎる親達

「なぜ留学したいの？」と聞くとまず「英語がうまくなりたいから」という答が返ってき

ますが、さらに詳しく聞いてみると、もっと大きな期待が次々とわいてくるものです。「留学すれば、日本で一流企業に就職ができる」「留学すればどんな職業も思いのまま」「留学は人生におけるステップ・アップを約束してくれる」

こんなふうに考える人の、なんと多いことか！　こうした夢は実際に留学をする子ども達よりも、お金を出して留学させる親のほうが抱きがちです。

どんな学校を選ぶにせよ、留学は大きな出費です。学費や生活費を合わせると、どんなに安くても年間二百万円以上はかかりますし、初年度には留学エージェントへの費用も払わなければなりません。その費用は安く見積もっても「地方から上京して、ひとり暮らしをしながら東京の大学に通う」のと変わりませんし、それ以上かかることのほうが多いのです。「東京の大学に通うよりアメリカに留学したほうが実力がつく」という考え方もあるように、留学は一種の投資なのです。だとすると、投資した額以上の効果を求めるのは仕方ないのかもしれません。

最初に申し上げておきますが、海外の大学で学び、それをステップに大きく飛躍する人は、もちろんいます。アメリカの大学で学び、アメリカの一流企業に就職した人や、アメリカの大学院に進んで優秀な成績を収める人や、世界が注目する研究成果を挙げる人もい

ます。

しかし、それは本人が並々ならぬ努力をした結果のことなのです。

日本には東大を頂点とする学歴社会があり、死にものぐるいの努力の末、日本最高峰のレベルを誇る東大に入学してしまえば、一流企業に就職することも高級官僚になることも思いのままと考えがちです。でも、「別に東大を出なくてもよかったんじゃないの？」と思わせるような人がいたり、東大を出ているのに無能な人がいるのを知って、「東大卒も大したことないわね」と思うことも多いですよね。一方ではそんなふうに考えながら、もう一方で「東大（または一流大）に入りさえすれば」と考えてしまう人が多いのは、不思議なことです。

しかし、アメリカはそうではありません。

アメリカではどんな名門校であれ、「入学できればそれで人生の勝利者へのパスポートが手に入る」というわけではありません。「アメリカのどこそこの大学に入った」のではなく、「どこそこの大学を卒業した」ことで初めて世間が認めてくれるのです。

ところが、このことを理解している留学希望者やその親達はほとんどいないのが実情です。そのため、「とにかく一流大学に入りたい。一流大学に入りさえすれば、人生の成功

は手に入れたようなもの」と思い込む人のなんと多いことか！　しかも、「我が子をなんとかハーバード大学に入れたいので、ハーバード大学に入りやすい高校に留学させたい」と考える人達もいます。これは「一流進学校なら東大への合格率が高い」という日本独特の考え方をそっくりそのままアメリカに置き換えてしまうのでしょうね。

アメリカの大学には「よりバラエティに富んだ学生を入学させたい」という考え方が基本にあるので、出身校が偏るということはまずありません。

我が子のサクセスを願うのは、親として当たり前なのかもしれません。しかし、サクセスするには、本人の並々ならぬ努力が不可欠ということを、どうやら頭に入れていないのでは……と思いたくなるのが、「我が子を留学させたい」という親御さんに多く見られるような気がしてなりません。

長年留学のお手伝いをしている私は、全米の多くの大学にコネクションがあります。しかも、常に「卒業を目指した留学」の指導を心がけているので、私が紹介した留学生達のほとんどは真面目に授業に出席し、ディスカッションにも積極的で、テストで合格点を取り、きちんとしたレポートをまとめて、ちゃんと卒業していきます。そんな実績があるからこそ、「ミセス・サカエがすすめる学生なら」ということで、入学が許可されるケース

もよくあります。しかし、だからといって紹介した学生が、その大学を卒業できるかどうかは、最終的には本人の努力次第なのです。入学以降は、「誰のコネで入ったか」「優秀な成績で入学したか」はまったく関係がなくなるのが、「チャンスは平等」のアメリカだと断言できます。

「アメリカの大学に留学すれば、エリート・コースに乗れる」という考えはまったくの見当違いだということがお分かりいただけたでしょうか。もし留学を考えるなら、まずアメリカの教育のあり方や学校生活をよく知ることです。アメリカの大学は日本と違い、「二十四時間学生」であることが不可欠で、勉強とレジャーやスポーツのバランスの取り方までが問われます。しかも、日本のように暗記主体の勉強ではなく、どんなディスカッションにも加われ、またディスカッションのネタを提供できるようにあらゆる角度からものを考え、自分の意見を持つことが大切なのです。「大学に入ったら思いっきり遊びたい」「海外生活を送って羽を伸ばしたい」という考えの持ち主なら、きっぱり留学は諦め、日本でそこそこの大学を目指したほうがよいでしょう。

〈コラム〉日本人と英語力

三十五年もこの仕事をしていると、つくづく日本人の英語力について考えざるを得ません。英語力があるとかないという以前に、まずおそろしいほど英語に劣等感を持っています。「英語ができるのは頭がよくて、英語ができないのは頭が悪い」と信じているのでしょうね。

英語の学び方について、ふたつのタイプがあると思っています。ひとつめは英語を勉強の対象ととらえてきちんと勉強し、暗記してテストでしっかり高得点を取るタイプ。そしてもうひとつが勉強するそばから忘れてしまい、いつまで経っても英語ができないタイプです。

もし英語を勉強の対象ととらえることができる人なら、センター試験の英語を難なくクリア(二百五十満点中、二百三十点以上)できるくらいに猛勉強することです。これくらい勉強ができるなら、TOEFLで五百五十点はまず間違いなく取れるでしょう。こういう人は、集中力、記憶力、自己管理力にとても優れています。「今から三時間、机の前に座って英語の勉強をしよう。英単語は五十個覚えよう」と決めたらちゃんと三時間集中し、翌日になっても英単語を四十五個は覚えているものです。こ

れなら日本にいようがアメリカに留学しようがフランスに留学しようが、勉強で苦労することはありません。

ところが、問題なのは「勉強するそばから忘れてしまうタイプ」。実は、私もこれに当てはまります。三時間机の前に座ったら、二時間半は別のことを考え、五十個覚えたはずの英単語は翌日になったら四十五個忘れてしまう、というタイプです。

私の家族で言えば、亭主やその兄は間違いなく前者のタイプで、昔使っていた辞書や教科書はボロボロになっています（私のものといえば、新品同様、ピカピカです）。

だからといって、私は自分のほうが劣っていると考えたことなどありません。なんといっても私のほうが決断力も行動力もカンもいいんですから。英語ができないのは集中力と記憶力と自己管理力がちょっと劣っているだけ、と私は思っています。そして、それはまったく人生の致命傷にならない、とも。

それはそうとして、では私のようなタイプの人が英語力をつけようとしたら、どうすればいいのでしょう。これは、とにかく自分を追い込んでいくことに尽きます。留学するにしろ、周りは日本人ばかりの英語学校に通って英語力を上げてから、なんてやっていたら、私のようなタイプの人はだらけるばかり。だから、英語ができようが

できまいがおかまいなしに、寮制の大学に入ってしまうことです。アメリカ人のルームメイトと暮らして、アメリカ人だらけの食堂で同じものを食べ、同じ音楽やアートや数学の授業を受け……。そんな毎日では、きっとたくさんの恥をかくことでしょう。まさに断崖絶壁に立たされた気持ちになるはずです。そうやってお尻に火がついて初めて、死にものぐるいで英語で勉強するようになるのです。

私の長男をアメリカの大学に留学させようと考えたとき、彼のTOEFLのスコアときたら三百八十点でした。亭主は「せめて五百点まで上げてから留学したほうがいい。よい家庭教師を探して、英語の特訓だ！」と言いましたが、私としては「そりゃ、あなたにはできるよねぇ」です。長男はギターなら何時間でも弾くけれど、英語の勉強なんて一時間も集中できないという、私とよく似たタイプなんですから。

そんな長男に高いお金を払って家庭教師を雇っても、無駄というもの。そこで私は「迷わずポイ」とばかりに、長男をアメリカの田舎にある小規模の寮制私立大学に放り込みました。

少ししか泳げないような人を突然海に投げ込むようなやり方でした。もちろん長男は大パニックです。しかし、自分でどうにかするしかないことが分かると、人間は思

わぬ力を発揮するものです。友達を見つけ、アメリカ独特のチューター・システム（成績の優秀な学生がボランティアで家庭教師をすること）に助けられ、なんとかアメリカの大学を卒業することができたのです。日本とはまったく違う時間の中で彼は自分自身と向き合い、大きく成長して帰ってきました。

机に向かって勉強するばかりが英語力を上げる方法ではありません。まして、アメリカの英語学校に通わなければ本物の英語が身につかないわけではありません。英語力を上げたいと思うなら、まず自分がどんなタイプなのかを見極め、自分に合った方法を取らないと、とんだ回り道になってしまうことをどうぞお忘れなく。

第三章　思い込みと勘違いが「失敗留学」を招く

「留学の第一歩は英語学校から」は典型的な失敗コース

海外旅行すら自由にできなかった時代にも、留学をする人は少数ながらいました。しかしそれは経済的に恵まれた一部の特権階級の人がほとんどで、庶民が留学するのは、夢のまた夢だったと言えます。しかし、今は「日本の大学に行くか、アメリカの大学に行くか」というくらい、留学は一般的になっています。

ところが、「留学したい」と考える人の中で、「英語がペラペラ」または「TOEFLが五百点以上」という人は、そう多くはないものです。いいえ、ほとんどの人が英語に自信がないままに留学という夢を見ていると言ってよいでしょう。

このような英語力に自信がない人達にとって福音となっているのが、「英語学校」と「英語集中講座」の存在です。

アメリカはもともと移民の国で、留学生の数も多いことから、外国人のための私立の英語学校や、大学が経営している英語集中講座など様々なものがあり、大学にとってのドル箱になっています（ドル箱のわりには、キャンパスの片隅の一番条件が悪い場所にあるのが特徴なのですが）。

さて、TOEFLで五百点が取れないからこそ、留学するにはまず英語学校からという

考えが出てくるのでしょうが、ここにも大きな落とし穴があります。

それは、「中三レベルの英語力があって二か月もアメリカで生活していれば、日常生活はまったく困らない」ということです。

ほとんどの学生が二か月もすればとりあえず日常会話は話せるようになるものです。しかし、それは英語力が上がったのではありません。中学三年生までに習った英語を使いこなせるようになっただけです。

おまけに、人には「見る」「考える」という能力があります。多くのことを目で見て、ちょっと機転を利かせれば理解できます。大学の中を歩いていても、見ればどれが教室でどれがプールか分かるものだし、スーパーでは店員と話さなくても買い物はできてしまいます。

日常生活で英語を使うシーンは買い物と食事、そして友達との雑談くらいですよね。「これいくら？」「これは何？」が英語でしゃべれれば当座は困らないし、二か月も暮らしていれば、もう少しこみいったことも英語でしゃべれるようになります。

すると、毎日の生活に流されて、英語の勉強が止まってしまうケースが驚くほどたくさん出てくるのです。

ＴＯＥＦＬ四百点の人がアメリカの英語学校に一年間通ったとしても、五百点に上がるのは全体の三分の一くらいというのが実態で、三分の一は勉強しても結果が出ず、残りの三分の一は勉強をやめて遊んでしまうのです。

こんなことを申し上げると、「ＴＯＥＦＬ五百点取るだけの英語力がつかないうちは、留学など考えるべきではない」と言っているように聞こえるかもしれませんが、そうではありません。

私が言いたいのは、「入学条件のＴＯＥＦＬ五百点は絶対的なものではない」ということなのです。

確かに、どこの大学でも留学生の受け入れ条件として「ＴＯＥＦＬ五百点以上」を挙げています。しかし、もしＴＯＥＦＬ四百五十点だとしても、エッセイ（入学審査のために提出する、小論文のようなもの）や推薦状がきちんとしていて、さらに「自分はＴＯＥＦＬの点数は五百点に満たないけれど、今までこういう勉強をしてきた。日本では高校（もしくは大学）でこれだけの成績を取った。この大学に入ったらこんな勉強をしたい」とか、「入学するまでの間に英語の特訓をするから入れて欲しい」などと大学当局を説得することによって、入学が許可されることは、決して稀ではないのです。

それなのに、「付属の英語学校に通い、TOEFL五百点以上が取れたら大学に入学してもよい」という学校だと、とんだ無駄足を食うはめになってしまいます。現に、英語学校に二年間通ったのに、どうしてもTOEFLが上がらず、なんとなくやめてしまったという例は、数限りなくあります。

だいたい、日本で六年も八年も英語を勉強したのに伸びなかった英語力が、場所を変えただけで突然上がるわけがありません。「英語を勉強しても英語力が上がらない」人は、必ずいるのです。しかも、そこはアメリカ人以外の外国人を対象とした英語学校で、主に日本人が中心です。

こんなお話を耳にするたび、「英語学校の落とし穴」を感じずにはいられません。

安ければよいという安易な考えが人生を棒に振る

「留学したい」という夢を抱いたとき、まずネックになるのが前の項でお話しした英語であるのは、今さら言うまでもありません。では、次にネックになるものと言えば……やはり、お金のことではないでしょうか。

国立大ならいざ知らず、日本でも一流大学ともなれば、授業料は莫大です。これはアメ

リカでも同じで、例えば全米はおろか、世界でもトップ・レベルのハーバード大学の授業料は年間約三百万円以上。これに生活費も加わったものが最低でも四年間続くと思うと、尻込みしてしまう親御さんがいても不思議ではありません。

そこに、「学費が三十万円くらいで済む大学がありますよ。生活費と合わせても、年間百万円くらいで済みますよ」と言われると、どうでしょう。思わず身を乗り出してしまうのではないでしょうか。

しかし、これこそまさに落とし穴。はっきり言って、よほどの例外をのぞいて、アメリカの大学は「安かろう、悪かろう」と思って間違いありません。

日本では「トップ・レベルの大学は国立。私立はどんなにがんばっても国立を越えられない」が常識ですが、これはアメリカではまったく当てはまりません。

後述しますが、アメリカは「まず私立大学ありき」。ハーバード大学が私立だということを、どれほどの方がご存知なのでしょうか？　もうひとつ申し上げるなら、アメリカにも「国立大学」はありますが、軍関係のみで、あるのは「州立大学」。「すべての州民に大学教育を」という理念の下に創設されたのが州立大学で、レベルはまさにピンからキリまであります。

つまり、レベルの高い大学に入ろうと思ったら、それ相応の出費を覚悟しておかなければならないのが、アメリカ。なんせ、昔から「教育と安全は金で買え」と言われているお国柄なのですから。

留学エージェントの中には、「学費と寮費と食費を合わせて八千ドルから一万ドル」という州立大学を並べて売るところが少なくありません。

「これなら地方から東京の大学に行くよりも安い」というふれこみです。しかも、「学費は三十万円くらい、付属の英語学校もあるので、英語に自信がなくても大丈夫。英語を学びながらアメリカの大学に進学できる」と続けられたら、まさに〝お買い得留学〟という感じがすることでしょう。

また、「学費が三十万円で、生活はホーム・ステイでほとんどお金がかからないから、コミュニティ・カレッジがもっともお得」というふれこみもあります。

アメリカの費用の安い州立大学やコミュニティ・カレッジは所得も学力も低い人達が対象です。学費については、州内の人にはほとんど無料か二千ドルから三千ドル（しかもローンつき）といったものです。もちろん、この特典は州外の人には適用されません。

所得が低くても学力が高い人は、たくさんの奨学金をもらって州立大学でもトップ・ク

ラスか、私立の大学に進学します。

このような所得も学力も低い人が学生の中心になっている大学に十八歳から二十歳の何も分からない日本の若者が親からお金を援助してもらって、しかも親も本人もハラハラしながら入学するというのは、いかがなものでしょう。

留学を希望する人の中には、「ハーバード大学に入りたい」という方が、少なからずいらっしゃいます。もちろん、優秀な頭脳の持ち主で、もっと高いレベルの勉強をしたいからという方もいらっしゃいます。とはいえ、それ以外に、東大を目指して勉強していたけれど、それがかないそうにないから、入学した大学のレベルに満足できないからなど、まさに「人生の一発逆転」を目論むようにハーバード進学を希望する方も、少数ではありません。

しかし、やはりこれは無謀な試みと言わざるを得ません。世界トップ・レベルのハーバード大学では英語が話せて当たり前ですし、英語を駆使していかにレベルの高いレポートが書けるかが問われます。

となると、多くの「ハーバード大留学希望者」は現実を知って諦めてしまいます。それはいいのですが、「ハーバードが無理なら、英語学校もついていて安上がりなコミュニテ

ィ・カレッジへ」とあっさり進路変更をしてしまう方の多いことには、納得がいきません。これを日本に置き換えると、「東大が無理だから、学費も手頃な東京の専門学校に」というようなもの。ほかにも大学はたくさんあるというのに、です。

「英語が身について、最終学歴にアメリカの大学名が書けて、しかも仕送りしながら日本の大学に行かせるのとほぼ同額」。

こう並べてみると、「なんてお買い得！」という気持ちになることでしょう。しかし、「安かろう、悪かろう」は、残念ながら真実。留学したい、留学させたいと思うのなら、「お安くてお得」につられるようなことは、決してあってはならないと思います。

州立がよいという間違った認識

「公立より私立のほうがレベルが高い」というアメリカの教育事情は、なかなか日本人には分かりにくいものがあります。このことを理解するには、アメリカにおける大学の歴史をひもとかなければなりません。

イギリスで弾圧を受けていた清教徒達が未開の土地アメリカに上陸したのは、一六二〇年。彼らは聖職者や教育者、法律家、政治家、軍の指導者など社会のリーダーを養成する

ため、アメリカに上陸した十六年後に大学を作りました。

それこそがハーバード大学です。アメリカの建国が一七七六年ですから、ハーバード大学は国家ができる一世紀以上も前に誕生したということです。

その後、アメリカが独立するまで、約十校の大学が生まれました。これらの大学の多くは、現在のアイビー・リーグになっています。

これらリーダーを育成し、人格的な高みを目指す「全人教育」を目的にした大学をアメリカではリベラルアーツ・カレッジと呼びます。国家ができる以前にできたのだから、もちろん私立大学ですし、そのすべてがアメリカ東部に集中して作られました。そもそもが社会のリーダー養成が目的ですから、入ってくるのはとても教育熱心な家庭や教養のある人達の子どもが多く、日本のような受験をする必要はありませんでした。

その後、独立戦争を経てアメリカという国家ができあがり、リベラルアーツ・カレッジへの入学希望者が増えるとなんらかの選抜が必要になりましたが、日本のように一斉入試という形を採らず、面接や書類審査で合否が決められています。また、親が卒業生であることを優先する学校もあります。

現在でもリベラルアーツ・カレッジは名門校が多く、大学のレベルも「いい大学」と

「まあまあの大学」ばかり。もちろん誰でも入れるというわけではありません。

ハーバード大学ができてから百四十年後、アメリカは独立戦争を経て国家となります。アメリカという国はご存知の通りいくつもの州が合わさってできた「合衆（州）国」で、それぞれの州は自治が強く、大学もそれぞれの州が作りました。それが州立大学です。

州立大学は私立のリベラルアーツ・カレッジよりずっと後にできたため歴史が浅く、裸一貫でやってきた移民達に農学、工学、牧畜学などの「実学」を教えるためにできたもので、言ってみれば「開拓に役立つ実学の専門家を養成する」ことが目的でした。移民が増えるにつれて州立大学の数も増え、やがて「望めば誰にでも教育を受けるチャンスが与えられる」という考え方ができあがります。

時代が進むにつれて州立大学は多様化し、「いい大学」「まあまあの大学」「レベルの落ちる大学」「誰でも入れる大学（コミュニティ・カレッジ）」と分かれていきました。しかも、ほとんどの州に様々なレベルの州立大学がいくつもあるため、大学を選びさえしなければ、誰でも州内のどこかの大学に入ることが可能です。

いかがでしょうか。日本人の考える「公立大は私立大よりレベルが上」という考えが、アメリカではまったく当てはまらないということがご理解いただけましたでしょうか？

このことを理解せずに「留学先は州立大学」と聞いただけで、レベルの高い大学に入れると思いこみ、フタを開けたら学力も所得も低い人のための大学だったという例が数限りなくあるということを、どうぞお忘れなく。

アメリカの教育システムを知らない留学希望者

アメリカの大学は「入学するのは簡単」と言われています。

ところが、入学するのに対し、卒業は大変難しいのがアメリカの大学。アメリカの大学はほとんどが一年間を九月から十二月までの秋期、一月から五月までの春期に分けた二学期制を採っており、それぞれで履修する科目が違います。

しかも単位制で、卒業までに約百二十単位取ることが条件で、反対に言えば百二十単位取れれば三年で卒業することも可能。

テストは八週間ごとに各期で二回あり、七十点（大学院では八十点）を取れなければ退学させられてしまうのです。

そのため、アメリカの大学生は必死で勉強しなければなりません。

また、日本の大学では入学時に何を専攻すべきか、つまり何学部に入るかを決めますが、

アメリカの大学では入学時に専攻を決めなくてもよく、三年生になったときに専攻を決めます。さらにそれ以降に専攻を変えることもできます（ただし卒業は遅れますが）。

では、アメリカの大学では専門性が低いのかというとこれは大きな間違いで、アメリカでは日本の学部のような本格的な専門は大学院で学ぶという特徴があります。

医学、法学、獣医学、歯学、カウンセリングなどは大学院レベルからしか始まりません。「十代で医者になるなんて決められたら、患者のほうが迷惑。もっと大人になって、基礎教育を固めてから決めて欲しい」という考え方なのです。つまり、アメリカにおける教育の終着点は大学院ということ。

その道のエリートやプロになるには、大学院を出ていなければ、というのがアメリカの教育システムなのです。

そのため、アメリカでは社会に出て働き始めてからキャリア・アップを目指して大学に戻ったり、大学院に入る人が数多くいます。

例えば、「ホテルとレストラン経営」という専攻を学んだとしても、大学を卒業しただけではホテルやレストランのマネージャーどまりですが、大学院を卒業していれば、ホテルやレストランの経営にかかわる重役や幹部候補生への道が開ける、といった具合です。

もちろん、大学院に入るのは簡単なことではなく、大学の平均成績を最低でも八十点にキープすることが最低条件です。

ところが、このことを理解している留学希望者はごく少数ではないでしょうか。

日本の大学は、入りさえすれば、後はろくに授業に出ていなくても〝出席カード〟を出せば出席扱いになるし、友達からノートのコピーを借りて一夜漬けの勉強をすればテストをクリアすることもできるなど、「入るのは難しく、卒業するのは簡単」です。これは一部をのぞいて一流大学でも同じこと。

「高校までは死にものぐるいで勉強し、大学に入ったら遊べばいい」という考え方も、「一流大学に入れれば、後は多少サボっていても卒業できる。一流大卒の肩書きを手に入れさえすれば、一流企業に就職できるし、人生のサクセスは約束されたようなもの」ということが一般的になっているからと言えます。

しかし、アメリカでは日本のように「とにかく一流大学に入りさえすれば、サクセスは手に入ったようなもの」という考えは通用しません。一流大学に入れたとしても、必死で勉強しなければ卒業できないし、たとえ卒業できたとしても大学院に行かなければレベルの高い教育が完成しないのだから、「一流大卒」の肩書きは、日本ほどの威光を持たない

ということを、考えておく必要があります。

ワーキング・ホリデーは、働きながら英語が学べるチャンス？

これははっきり言えることなのですが、中学三年までに習った英語力で、二～三か月も英語圏の国で生活していれば、どんな人でも日常英会話に困ることはありません。それだというのに、日本人のほとんどは「中学から大学まで、十年近くも英語を学んだのに、まったく英語がしゃべれない」と思い込んでいるように見えます。

「英語を身につけるために留学したい」という人が後を絶たないのは、「海外で英語を使った生活をすれば〝生きた英語〟を身につけることができる」という思っているからなのでしょう。

それでも「海外で大学に通うのはお金もかかるし勉強についていけない。留学はハードルが高い」と考える人がいます。

そんな人達にとって魅力的に映るのが、ワーキング・ホリデーではないでしょうか。

ワーキング・ホリデーをお役所的に説明すると、「二国間の協定に基づいて、休暇を楽しみながら滞在資金を補うために働くことを認めるビザ（査証）を発行するという、出入

国管理上の特別な制度」のこと。要は、バイトしながら外国に長期間滞在できるのが、ワーキング・ホリデーなのです。日本とワーキング・ホリデー・ビザに関する取り決め、協定を結んでいる国はオーストラリア、ニュージーランド、カナダ、韓国、フランス、ドイツ、イギリス、アイルランドの八か国です。国によって異なりますが、期間はだいたい一年で、三か月間（オーストラリアは四か月間）語学学校に通うことも許されています。

八か国のうち日本でもっとも人気なのは、留学先としても人気が高まっているオーストラリア。イギリスは人気が高い半面、受け入れ人数が少ないため、狭き門となっています。ワーキング・ホリデーの本当の目的は、広い国際的な視野を持った若者を育成すること、両国間の相互理解や友好関係を促進することにあります。若い人達にとっては海外での生活を長期間できることと、自分探しの場としても有効な機会です。

現地で働くのですから〝英語漬け〟の生活が期待できて、しかも留学のように勉強をしなくて済む、一定期間語学学校にも通える、さらにお金が稼げる……と「安上がりに長期間海外に滞在したい」「生きた英語を身につけたい」と考える人にとってはまさに魅力的で、人気が高まっています。しかし、そんな方達はどれくらいワーキング・ホリデーの実態をご存知なのかと首をかしげたくなることもあります。

まず、〝働く〟ですが、日本から来たワーキング・ホリデーの若者が就ける職業は、大半が「日本語を使う仕事」と言ってよいでしょう。つまり、日本食レストラン、日本人観光客向けの土産物屋などの販売がメインなのです。

例えば、オーストラリアでは前述のような仕事のほか、牧場や農場での肉体労働が多く、朝から晩まで牛や羊の世話に明け暮れる、ということも少なくありません。日本人観光客用のツアーガイドや旅行会社などで働くケースもありますが、これらの職業に就くには当然のごとくそれなりのスキルが求められるため、なかなか就けないのが実態です。

カナダのモントリオールあたりの日本食レストランで、信じられないほどダサイ着物を着た日本人の女の子が働いているのを見たことがありませんか？　また、ニュージーランドで日本人五人を乗せた荷馬車が車にぶつかったという事故のニュースを覚えているでしょうか。彼らこそ、ワーキング・ホリデーの若者達です。片や日本人相手のレストランでバイトして、日本人同士で共同生活をして、英語を使うときといったらバイトが休みのショッピングくらい。片や農場の離れに日本人同士で住んで、農場オーナーとほとんど口をきくこともなく農作業。これがワーキング・ホリデーの実態なのです。しかも、得られる賃金はもともと単純労働が多いせいもあり、「稼げる」というほどのものではありません。

贅沢しなければ滞在費はまかなえる、というところでしょうか。

そのせいか、ワーキング・ホリデー・ビザで渡航したものの、アルバイトをしたのはほんの数か月だけ、後はぶらぶらして過ごす「ワーキング・ホリデーならぬ単なるホリデー」になってしまう人も少なくありません。

異国の土地で今までしたことのない仕事をしたり、長期滞在を利用してあちこち見て回ったりして自分探しをする時間を持つということは、決して悪いことではありません。若いうちにバックパッカーのような貧乏旅行をして様々な経験を積むのは、その人を大きく成長させることでしょう。

しかし、最初から「自分探し」「なんでも見てやろう・やってやろう」という気持ちで渡航するならいいのですが、「留学よりも手軽に英語を学べる」という気持ちでいくのは、おすすめできません。

繰り返しになりますが、どうも日本人は外国に行く目的に「英語を学ぶ」「英語がしゃべれるようになる」などと、語学取得を期待しすぎる傾向があるように思えてなりません。「一年くらいアメリカに行って、ぶらぶらしながらあちこち見て回ろうと思って」と言うと、遊びに行くように思われて体裁が悪い、それに対して「英語をマスターするため」と

言ったほうが世間体がいいからでしょうか？　そんなことさえ考えたくなってしまいます。

せっかく海外で長期間過ごせるのですから、最初から「自分を見つめたい」「あちこち見て回りたい」という目的をしっかり持つことです。

せっかくのチャンスです。ぜひ目的を見誤らないでいただきたいと思います。

〝留学と違う効果〟のインターンって？

ワーキング・ホリデーと並んで最近注目を集めているのが「インターン」です。「一年間英語だけで暮らす」「留学やワーキング・ホリデーと違う効果」などのコピーが躍っているインターンの広告を見たことがある人は多いことでしょう。広告の作り、そして海外で学びながら活動ができるなどのことから、ＯＤＡ（政府開発援助）の一環として行っている海外ボランティア派遣制度の青年海外協力隊と同じようなものだと勘違いしている人は、結構多いのではないでしょうか。

まず最初に申し上げておきたいのは、インターンは政府とはまったく関係がないということです。

一般的に〝インターン〟と呼ばれるものは、「スクール・インターン」と「ビジネス・インターン」に大きく分類することができます。

「スクール・インターン」とは、海外でホスト・ティーチャーと呼ばれる教師の指導の下、子ども達に日本文化や日本語を教えるのが主な役割。最近日本の小学校にも英語の授業が導入され、外国人教師が派遣されることがありますが、それと同じようなものだと言ってよいでしょう。

これに対して「ビジネス・インターン」とは、海外企業で現地スタッフと一緒に働くこと。外国人の派遣社員のようなものと思えばいいかもしれません。「うまくいけば海外就職のチャンスも」と謳われているのがほとんどです。

学校という限られた空間の中で勉強するのではなく、広い社会に出て現地の人と触れ合いながら〝仕事〟ができるのですから、留学よりも実践的な英語力がつけられそうな気がしませんか？　そのあたりが人気を呼んでいる秘密なのかもしれません。

ただ、〝仕事〟といってもインターンは多少賃金が支払われるものの、基本的にはボランティアのようなもので、「稼げる」というほどではありません。日本にも「インターンシップ」という制度を持つ企業がありますが、これは学生が一定期間企業の中で研修生と

して働き、自分が目指す職業の就業体験が行えるというものですよね。これと「ビジネス・インターン」「スクール・インターン」は同じと考えてください。

「ビジネス・インターン」「スクール・インターン」では、それなりの企業に入るにはTOEFL六百点以上を条件とするなど、高い英語力が求められるケースがほとんど。英語力が問われない仕事もありますが、その場合はコピー取りなどの単純労働です。そのため、若い人の場合は「英語に自信がなくても大丈夫」というのが謳い文句の「スクール・インターン」に人気が集まっているようです。

私はこの制度自体はよいものだと思っています。若い人達が海外で生活して異文化体験をするのはよいことですし、日本文化を海外の子ども達に伝えるのも、とてもよいことです。

〝自分探し〟に加えて、「日本のよさを海外の子どもに伝えたい」という使命感を持った若者が多く現れて、精一杯日本文化を世界に伝え、国際交流に貢献してくれるなら、こんなによいことはないと思いますし、そんな気持ちを持った若者が、たくさんいることを願ってやみません。

しかし、ここでも引っかかってしまうのは、やはり「英語」なのです。

インターンの広告を見ていると、「英語だけで生活しよう」とか、「生きた英語を身につける」といった言葉が目立つのが気になります。

確かに、現地の子ども達に日本語や日本文化を伝えるのですから、ある程度の英語力がなければお話になりません。

「子ども達に教える中で、自分の英語力もついていく」と言われるスクール・インターンですが、私はその考え方にどうしても違和感を覚えてしまうのです。

日本の小学校に来る外国人の英語教師がまったく日本語が話せない、あるいは話せてもほんのカタコトだけ、というケースを想像してみてください。「英語の授業だから、ここからは英語オンリー」と割り切るのもひとつの手かもしれません。しかし、相手は子どもです。より分かりやすく、さらに自国の文化も伝えたいとなったら、英語教師とはいえ、子ども達とコミュニケーションが取れるだけの日本語力は欲しいと思いませんか？

海外での「日本語教師」も同じですよね。いくらホスト・ティーチャーがいるとはいえ、英語がカタコトしかしゃべれなかったら、子ども達とコミュニケーションを取ることもできず、文化を伝えるどころではありません。

「子ども達に日本語や日本文化を伝えるために、がんばって英語を勉強する」という気構

えがあればいいでしょう。そんな人達はきっと渡航前に一生懸命語学を学ぼうとするはずですし、スクール・インターンになってからも「どうすればもっとうまく子ども達の興味を引きつけられるか」と考え、努力して役割をきちんと果たしてくれることでしょう。

そうではなく、「英語力をつけるためにスクール・インターンになる」というのでは、本末転倒でしょう。これでは、教える相手の子ども達にも迷惑になると考えるのは、私だけなのでしょうか。

私のところにも、「留学はハードルが高いから、インターンかワーホリで」という人が相談に来ることがあります。みんな「学費がかからず英語の勉強ができて、しかもお金をもらえる」と思い込んでいるんですね。だから私は、いつもこう話しています。「考えてもみて。あなたが何かビジネスをしていたら、自分と同じ程度の能力の人や、仕事内容に詳しくない人を雇う？」って。するとみんな「いいえ、雇いません」と答えます。そこで、「〝タダでもいいから働かせて〟と言われたら、どうする？」と聞くと、少し考えてから「うーん、それならコピー取りか掃除くらいかなぁ」。ちょっと考えれば分かることですが、仕事って、そういうものなんです。甘い話やおいしい話には、必ず裏があるということは、忘れないで欲しいですね。

〈コラム〉甘くない高校留学

高校留学には、一年間だけの交換留学と、卒業することを目指して二～四年間海外で暮らしながら高校に通う留学があります（ほかに数週間だけ海外で暮らしながら高校に通う研修旅行というものもありますが、ここでは省きましょう）。

高校生の留学で一番多いのは、交換留学です。文部科学省では日本の高校生（大学生も）が外国の学校で勉強してきたら、そこでの出席日数や履修した単位を認め、留年することなく卒業できるという制度を作ろうとしているようですが、現在は出席日数や単位を認めるかどうかの最終決定権は、校長（または学長）にあります。とくに私立校は対応がまちまちなので、「交換留学から帰ってきたら、卒業が遅れてしまった」ということもあります。一年後は日本に戻って日本の高校を卒業したいのなら、まずは自分が通う学校が交換留学に対してどんな対応をしているのかを確認することが大切です。

留学先はカナダ、アメリカ、オーストラリア、ニュージーランドと様々ですが、安全なイメージが強いオーストラリアやカナダが人気です。

交換留学の目的は国際交流なので、留学生の多くはエージェントが紹介してくれた

ホスト・ファミリーの下でホーム・ステイし、その区域の学校に行くというのが一般的です。ホーム・ステイ先は必ずしも教育レベルの高い地域にあるとは限りません。教育レベルの高い地域に住んでいる家庭は夫婦ともに仕事を持っていることが多く、外国人の子どもを預かる精神的な余裕はない、といった人がほとんどです。

そのため、交換留学に行ったのにレベルの低い学校だったとか、ホーム・ステイ先は離婚家庭だったとか、中国語を話している家庭だったとか、色々とクレームをつけてくる人も多いようです。でも、交換留学の目的は国際交流なのですから、どんな学校でもどんなホスト・ファミリーでもいいではありませんか。

次に、卒業を目指した留学ですが、日本人に向いているのは、やはりアメリカではないでしょうか。スイスの高校は寮制ですし、入学試験も受けやすい上、教育レベルも高いので人気があります。しかし、スイスは公用語にフランス語、英語、ドイツ語が入り交じっている国なので、言語の習得能力がないとどの言葉もめちゃくちゃになってしまう可能性があります。

アメリカの公立高校は、留学生に対して「一年間の留学」にしか留学ビザを発行していません。この規制がなかった頃、留学制度を利用してアジアの若者が次々とやっ

てきた時代がありました。彼らはアメリカに定着すると、家族を呼び寄せようとしたのです。しかもホスト・ファミリーや学校、地域の人達までもが一緒になって彼らの家族を呼び寄せるよう運動したものだから、留学生の家族はもちろん、親せきまで次々と海を渡ってやってきて、そのままアメリカに定住してしまったのです。高校生の留学生に一年しか留学ビザが発行されなくなったのは、留学生ビザを利用した貧しい移民が入ってくるのを防ぐという意味があるのでしょうね。

　これに対し、私立高校は留学ビザの規制はありません。何年でも留学できます。私立には通学のデイ・スクールと、寮制のボーディング・スクールがあります。デイ・スクールはほとんどが都会かその近郊にありますが、何しろアメリカには鉄道やバスなどの公共交通機関があまり普及していません。公立校ではスクールバスで生徒達を拾って行ってくれるのですが、私立にはスクールバスがないので、親が送り迎えをすることが前提です。アメリカ映画を見ていると、子どもの送り迎えに親が苦労しているシーンがよく出てきますが、留学生となるとますます大変です。そこまでしてくれるホスト・ファミリーを探すのはまず無理ですし、仮にアメリカ在住の親せきに預けることができたとしても、お互いの甘えから関係が険悪になるのは本当によく聞く話

で、こうなると子どもの送り迎えどころではありません。

ですから、私は高校生が留学するなら、やはり寮制のボーディング・スクールが一番よいと思います。

第四章　各国の教育システムさえ理解できない人達

大学数の違いからみる各国の教育事情

日本人が留学したいと願う国、それは圧倒的にアメリカです。これは前にも述べた「日本人のアメリカコンプレックス」もあるのかもしれませんが、かつて日本人にとっては「外国＝アメリカ」というくらい、アメリカ留学を希望する人がほとんどでした。

しかし、同時多発テロ以降、アメリカに対する感情は「憧れの国」から「危険な国」へと変わってきました。

そして、アメリカに代わって注目を集めている留学先がオーストラリアやニュージーランドなどのオセアニアと、根強い人気のイギリスです。

フランスやイタリアは海外旅行先としては人気ですが、ヨーロッパへの留学を希望する人はごく少数。これは「英語圏ではない」ということが最大の理由です。このことからも「日本人の留学は、何より英語をマスターすること」ということがみえるのではないでしょうか。

さて、オセアニアですが、「安全」「自然がいっぱい」などののどかで平和なイメージと、物価が安く留学しても費用が安く済むということが人気の秘密になっているのですが、実際にどんな教育事情なのかを理解している人は、やはりごく少数と言わざるを得ません。

まず、留学先となる大学ですが、オセアニアでは大学数がとても少ないことをご存知でしょうか。オセアニアの大学数は、オーストラリアで四十校、ニュージーランドでは八校しかありません。

日本の大学数が約千二百校あることを考えるまでもなく、国土に対して圧倒的に大学が少ないということが分かるはずです。

これはイギリスを始めとするヨーロッパでも同様で、イギリス、フランスの大学数はともに約百校、ドイツはやや多くて約百七十校。いずれも日本と比べれば〝大学〟の少なさが実感できることでしょう。

そもそもヨーロッパの大学では、社会のリーダーやエリートを育成するのが目的なため、そんなにたくさんの大学を必要としていないという風土があります。

また、ヨーロッパではデザイナーやコックを始めとする職人の地位がとても高いという特徴があります。彼らは若いときから修行の道に入って腕と感性を磨き、一流になることを目指します。

一流の職人は文化の担い手として社会から認められ、尊敬され、勲章を授与されて社会的地位と名誉を得ることができます。日本でも憧れの的となっている一流ブランド品にヨ

ーロッパのものが多いのはまさにこのためで、彼ら職人や職人を目指す人達にとって、大学は「行かなくてもなんの問題もないところ」なのです。

ここでイギリスの教育システムのお話をしましょう。イギリスは十一年間の中学教育（日本の高二レベルまで）を終えてから社会に出る人がほとんどで、大学に進学したいと思う人はさらに二年間、大学進学のための勉強が必要になります。

しかしこの二年が終われば、すぐ大学に行けるというわけではなく、全国統一テストに合格して初めて大学受験資格が得られることになっています。

大学は三年制で一般教養はなく、専門の勉強を三年間みっちり行うのが、イギリスの教育です。

日本人を含む外国人がイギリスに留学する場合、まず各大学に設けられているファンデーションという大学入試前のコースに入り、しっかり勉強してから受験することになっているのですが、ファンデーション・コースに入れば必ず大学に入れるという保証はどこにもありません。

イギリスに留学したいとエージェントに相談すると、大学進学の難しさから中一から、場合によっては小学生からの留学をすすめられることがあるそうです。

しかし、前にもお話ししましたが、母国語の力が充分でないうちに外国語を学ぶと、母国語も外国語もめちゃくちゃになってしまうのです。

現に、中一から七年間イギリスに留学したのに日本に帰国してTOEFLを受けたら四百五十点しか取れなかった、なんてこともあるのです。しかも、早いうちから親元を離れて生活している子どもはかなりしたたかになっているケースも多く、英語ができない親をバカにすることも少なくありません。

母親が移住覚悟でイギリスまでついていき、レベルの高い学校に通わせる例もあります。しかし、信じられないほど階級制度が厳しいのがイギリスです。レベルの高い学校にはよい家庭の子弟ばかりで、保護者達とのつきあいで家の格があまりにも違うことを見せつけられ、母親がすっかり劣等感を持ってしまうということも少なくありません。

次に、最近「安全、安い」ということで人気のオセアニアですが、とくにオーストラリア政府は、外貨をもたらしてくれる留学生を積極的に受け入れようとしています。しかし、いかんせん大学の数が少ないので、大学へ入学するには州の統一テストを受けなければなりません。しかも、オーストラリアの大学は、専門性がとても高いのです。したがって、留学生が大学に入るには、イギリスと同様にファンデーション・コースに入らなければな

りません。

これがとても難しいため、オーストラリアへの留学は高校生の交換留学や専門学校への入学が中心になっています。

留学を夢見るのは結構ですが、まずはその国の教育システムをよく知ること。とくに大学は国によって驚くほど違いがあるので、「こんなはずじゃなかった」ということが起こりがちです。

自分でしっかり調べるか、国ごとの教育制度に詳しい留学エージェントを探すことは欠かせません。もちろん、エージェントに任せっぱなしでいいことはひとつもないのは、言うまでもありませんね。

「アメリカの大学数は約四千校」の意味

前の項で世界各国の大学数をご紹介しましたが、ではアメリカにはいくつの大学があるか、ご存知ですか？　その数は軍関係の国立、州立、私立（ともに二年制と四年制を含む）を合わせてなんと全米で約四千校にもなります。いくら国土が広いとはいえ、その数は圧倒的です。

しかも、大学の教育システムは独特なので、アメリカの大学をきちんと理解するのはなかなか難しいことでしょう。そこで、ここでざっとアメリカの教育について、まとめてみましょう。

・大学の数が約四千校と世界一多く、しかも日本の大学のように理系、文系、芸術系、体育系に分かれていない。
・専攻をふたつ取ることも可能で、音楽と物理などまったく違う分野を同時に専攻することができる。また、パフォーマンスを大事にする国柄から、音楽や演劇、美術などの芸術分野はどの大学にもあり、まったくピアノを弾いたことがない人でも音楽を専攻することができる。
・医学、法学、獣医学、歯学、カウンセリングなど大学院からしか始まらない学部がある。
・国家ができる前からハーバード大などの私立大があり、州立の歴史は私立と比べて短い。
・私立大学は社会のリーダーを養成するための「全人教育」を大きな理念としている。全人教育とは、人格的な高みを目指す教育で、理系や文系に分けることなく様々な教育を受けて、芸術を愛し、科学に興味を持ち、スポーツができ、法律や経済について語れるよう

な、芸術を含めてあらゆる分野の人間を育てることを目的としている。
・州立大学は新しい州の開拓民の教育水準を上げ、開拓の援助ができるように農業や工業などの実学を中心に始まった。
・州立は日本の公立高校のシステムに似た方式が採られていて、ひとつの州に、レベルの高いところから誰でも入れるようなレベルのところまでがある。自分が住んでいる州なら必ず入学できる州立大学がある。
・それぞれの大学に独自の入学基準があり、原則として入学テストはなく、書類選考が基本。全国的な学力テストはアメリカにもあるが、それで足切りをしたり、学力テストの結果のみで合否を決定するのではなく、あくまで入学基準の一要素としている。
・私立大学は成績やテストの点数だけでなく全人格的な要素を見るため、エッセイ、推薦状、面接などを重視するところが多い。成績やテストの結果を見るときも、上位グループからのみ採るのではなく、例えば超優秀グループから四〇%、優秀グループから二〇%、その下のグループから一〇%、さらに下のグループから五%というように、バラエティに富んだ生徒編成にしないとディスカッションが活性化しないと考える大学が多い。
・州立大学にも、自分の州内の学生を必ず入れるほか、州内にあるすべての高校からトッ

プクラスの生徒を中心に入れるというところ、黒人や中南米からの移民を一〇％程度入学させると決めているところ、親が大学を出ていない学生を一〇％程度入学させると決めているところなど、様々な入学基準がある。

・何より「バラエティとバランス」を好むため、大学生の出身高校が偏ることがなく、同じ大学から大学院に優先的に入れることもない。エスカレーター式は、アメリカではあり得ない。

・昔から交通手段がない場所に大学があるため、もともと自宅から通えなかった。また、先生や学友と一緒に住んで勉強することで人間関係を学び、親離れをすることが大切とされていたので、今でもアメリカの大学のほとんどは寮制になっている。

・学期はセメスター制といって九～十二月、翌年の一～五月各十六週間のふたつの学期で一年とするのが一般的で（三学期制の大学もある）、それぞれの学期に入学と卒業があるなど、完全に独立している。つまり、九月入学もあれば一月入学もあり、日本の大学のように前期と後期の通年で同じ授業を受けるという発想はない。

・日本のような入学式もなければ、親切なオリエンテーションもない。入学すると、すぐに授業が始まってしまう。

・大学は単位制で、各学期で十二～十八単位取ることができる。早く単位を取れば、三年や三年半で卒業することもできるが、ゆっくり単位を取って五年で卒業してもよい。
・ひとつの学期が十六週間で、八週間ごとに中間、期末テストがあるため、とてもめまぐるしい。
・大学で成績が二学期続けて四段階評価のC平均、大学院でB平均を下回ると、退学になる。大学院への進学や、一流企業の就職を目指すには、大学でもB平均をキープしていることが不可欠。
・大学や大学院を卒業するために必要な単位数は、大学で百二十、修士課程で三十～六十、博士課程で九十。多くの大学は卒業に必要な百二十単位のうち、六十単位はどこから持ってきてもよいとされ、留学生は母国の大学で取った単位を認めてもらえる。

いかがでしょうか？　どれくらいアメリカの教育と日本の教育が違うか、ご理解いただけましたか？　ところが、最近ではこれらのことを知らない留学エージェントもたくさんいて、広告に「アメリカの○○大学獣医学部で獣医を目指して勉強中！」なんていう顔写真入りの実例を載せるところもあるほどです。獣医学部が始まるのは大学院からで、どこ

の大学にも獣医学部なんてないのに……。私はあんまり腹が立ったので、そのエージェントに「あんなこと書くなんて、無知にもほどがある。すぐに直しなさい！」と電話してしまいました。

蛇足ですが、日本の大学は「入学すれば後はとくに勉強しなくても卒業できる」ところや、「付属の中学や高校に入れば、受験せずにエスカレーター式で大学に入れる」ところがたくさんあります。しかし、こんなことがいつまでもまかり通っていたら、どんどん日本人の教育水準が落ちるばかりだと思うのです。

たくさんの日本人がアメリカの教育システムに関心を持ち、少しずつでも見習おうと思うようになれば、日本の教育改革はもっと進むかもしれません。

リベラルアーツ・カレッジの教育のあり方

約四千あるアメリカの大学を詳しく分類すると、四年制ではリベラルアーツ・カレッジ、リベラルアーツ・カレッジが大学院を持って大規模になった私立の総合大学（ユニバーシティ）、レベルの高い州立大学が大学院を持って大規模になった州立の総合大学、まあまあのレベルの州立大学、少しレベルの落ちる州立大学、誰でも入れる大学（二年制のコミ

ユニティ・カレッジ）に分けることができます。

リベラルアーツ・カレッジは、社会のリーダーを育成すべく創設されたもので、専門的な知識を得るというよりも人文科学、社会科学、自然科学、芸術や体育に至るまでの幅広い知識を学ぶことが目的になっています。二年生の終わりに専攻を決めますが、これは三年生になってから変えることも可能。

リベラルアーツ・カレッジの目的である「全人教育」というのは、興味のあることをすべて学んで教養を身につけることなのです。

リベラルアーツ・カレッジは学生数が五百人から多くて三千人と小規模で、そのほとんどが寮制です。アメリカのアッパー・ミドル・クラスの子ども達は十八歳まで親元で家族とともに暮らしているケースがほとんどで、高校を卒業し、リベラルアーツ・カレッジに進学して寮生活を通して、人間関係の作り方やその難しさを経験するのです。また、学校は周りに繁華街もなければコンビニもないような刺激がない田舎にあるのがほとんどで、寮生活を通して濃密な人間関係を経験しながら生きる力を身につけていくのも、リベラルアーツ・カレッジならではの特徴です。

様々な分野の授業を受けながら自分が目指すべき道を見つけ、寮生活を通して人間関係

を学び、生涯に渡る友人と出会う……それがリベラルアーツ・カレッジと言うことができます。

そもそも、高校を出たばかりの十八歳くらいで、「自分は将来こんな仕事に就きたい」というはっきりとした目標を持つことができる人はどれくらいいるのでしょうか？

「一刻も早く社会に出てお金を稼ぎ、家族を養っていかなければならない」という事情があるなら、何歳であろうが「自分にできる仕事」を見つけることでしょう。しかし、それほど切迫しておらず、そこそこの収入がある家庭で育った子ども達は、そんなに急いで働く必要がありません。

教育熱心な親に育てられた子ども達にとって「興味があることはすべて学べる全人教育」というリベラルアーツ・カレッジのシステムは、まさに「十八歳くらいで自分の道が見つけられるはずがない。まずは自分探しをしてから、自分に合った専門分野に進むべき」という考え方から生まれたものと言ってよいでしょう。

日本の高校生は、数学、物理、化学の成績があまりよくないと、自動的に「ハイ、あなたは文系ね」という決め方をされるのが一般的ですよね。でも、十六や十七歳で自分が文系に向いているか理系に向いているかなんて、分かるはずがないと思いませんか？

それを考えると、リベラルアーツ・カレッジはとても日本人に向いていると言えます。

リベラルアーツ・カレッジのほとんどが寮制と聞くと尻込みしてしまう人もいるかもしれませんが、実は寮制ほど留学生に向いたシステムはありません。

まず、寮制といってもひとり一部屋が割り当てられるのではなく、ほとんどの場合アメリカ人のルームメイトと一緒に暮らすことになります。授業以外でもアメリカ人と過ごすことにより、英会話の力は飛躍的に上がっていくことがまず第一のメリット。

そしてほとんどの寮は二十四時間体制でガードマンが常駐しており、さらにキャンパスには医務室なども完備されているので、とても安全だということが第二のメリット。

そして最大のメリットは、小規模・少数精鋭主義なため、先生の指導がきめ細かく、授業についていけない学生をフォローしてくれるので、英語に自信がない留学生でも落ちこぼれる心配が少ないことが挙げられます。

その一方で、刺激の少ない田舎暮らしなため、気分転換をすることが難しく、都会で育った留学生ほど不便さが苦痛になってしまうというデメリットもあります。「山奥に隔離されたみたい」と、極度のホームシックになってしまう学生も少なくありません。

しかし、それを乗り越えて〝生きる力〟を身につけるのも、リベラルアーツ・カレッジ

が目指す「全人教育」の一環。孤独に耐えかねてひきこもりになるケースもゼロとは言いませんが、たいていの場合は積極的に友達を作ったり、不便な生活の中で楽しみを見つけるなど、たくましく生きる術を学んでいくものです。

アメリカのビジネス界をリードしているエグゼクティブ達は、「全人教育を受けた学生のほうが、管理職に向いている」と言います。幅広い勉強をしていることよりも、寮生活を通して〝生きる力〟を身につけ、人間的に大きく成長できることがその理由だということは、言うまでもありません。

天と地ほど違う州立大学のレベル

アメリカでの教育の基礎になったリベラルアーツ・カレッジに対し、州立大学は「移民に実学を教えるため」にできました。しかし、時代が経つにつれて州立大学の数も増え、レベルに格差が出てきます。

州立大学のレベルは「いい大学」「まあまあの大学」「レベルの落ちる大学」「誰でも入れる大学」の四つに分類できるのですが、このうちレベルが上の「いい大学」「まあまあの大学」は、様々な学部が集まり、大学院を持って大規模になった「総合大学」になりま

した。

　総合大学については次の項で詳しくご説明しますので、ここでは「レベルの落ちる大学」と「誰でも入れる大学」についてお話ししましょう。

「レベルの落ちる州立大学」は税金で運営されているため、その州の人なら誰でも入ることができます。どちらかといえば低所得層の人達が多く、教育レベルも高くありません。

　そして「誰でも入れる大学」ですが、これは今まで再三登場した地域（コミュニティ）の人なら誰でも入れる二年制のコミュニティ・カレッジです。州立のほか、市立、郡立もあります。税金で運営されているため学費が安く、学生の大半は低所得層の人達。単純労働にしか就けない彼らが、もう少しましな仕事に就くための実学を学ぶための場所で、大学というより職業訓練所といった性質が強いのが特徴です。教育のレベルは日本で言えば、高校の夜間部といった具合で、都会のビルの一部が大学になっているところも少なくありません。

　コミュニティ・カレッジではなんらかの理由で大学に行けなかった人達が職業訓練のために通っているケースも多く、そのため学生の年齢層が高いのも特徴。働きながら学校に来ている学生も多く、必要な授業を受けたらさっさと職場に戻ってしまう人がほとんどで、

学生同士が友情を育む「キャンパス・ライフ」は存在しないと思ってよいでしょう。

このふたつのレベルの大学は、地元の人なら誰でも入れますが、留学生にも門戸を広げています。

ところが、教育レベルに対して、留学生に要求するTOEFLの点数は高く設定されており、「TOEFL五百点以上」が条件というところがほとんど。すると、英語が苦手な日本人は、TOEFLが高いというだけで「この大学のレベルは高い」と錯覚してしまいがちです。また、コミュニティ・カレッジはリベラルアーツ・カレッジに比べて格段に学費が安いのですが、寮がないため生活費が高くついたり、留学生同士でアパート暮らしを始めるようになり、学校に行かなくなるケースが多いというのも、実態です。

これら「レベルの落ちる四年制の州立大学」や「誰でも入れる大学」に留学すると、若い人は、自分が見た範囲だけで物事を決めつけがちです。初めて経験したアメリカが、その人にとってのアメリカのすべてになってしまいます。真面目に勉強し、真剣に自分の人生を考える学生や、素晴らしい教育システムがあるというのに、ごく一部のアメリカ人や、一部の大学しか知らないで「アメリカ人はこういうもの、アメリカの大学はこういうもの」と思い込んでしまうなんて、なんだか悲しいことだと思いませんか？

若いときの教育は、周りの環境というものがとても大切です。日本のようにアメリカと比べれば安全と言われ、格差の少ない社会でも、子どもが小中学生の頃から、近くの公立に通わせるか私立にするか悩んでいる人はたくさんいます。それだというのに、アメリカ留学となると、学校のレベルや環境、どんな学生が多いのかに注意を払わない人が多くなってしまうというのは、いかがなものでしょうか。

コミュニティ・カレッジは「二年制の大学だから、日本の短大と同じようなもの」と思っていると、とんだ落とし穴になりがちだということは、どうぞお忘れなく。

トップレベルは総合大学、の落とし穴

アメリカでは高校までが義務教育です。したがって、高校での勉強内容は、日本の中学レベル。大学の一、二年で日本の高校レベルを教わっていると思ってください（もちろん高校によって多少の違いはありますが）。

こう言うと「アメリカの教育レベルは日本より下」と思ってしまうかもしれませんね。これはただ単に「アメリカではゆっくりと時間をかけて勉強をする」ということの現れと言えます。日本は駆け足で学んで大学で教育が終わるのに対し、アメリカはじっくりと学

び、大学で自分のやりたいことを見つけ、その専門分野に進むためには大学院に行き、大学院で教育が完成するのです。

アメリカにハーバード大ができた頃、まだまだ科学が今のように発達していたわけではないし、法学や経済学も今のように確立していたわけでもありませんでした。しかし、産業革命を経て科学が発達し、学問だけでなくあらゆる分野に高度な知識や技術が必要になっていきます。かくして、医学や法学、工学、科学、そして教育をより多くの人に広めるため、大学は医学部、法学部など、専門性の高い学部を次々と新設し、大学院を持つようになりました。こうしていくつもの専門分野が集合し、大学院を中心とした規模の大きな大学が私立にも州立にも誕生しました。それが総合大学です。

アメリカ国家にとって、「教育は国家なり」というくらい、教育とはもっとも重要なことで、不法移民の子ども達すら公立高に入れて教育し、国全体の教育レベルを上げようとします。このようにして国を挙げて教育レベルを上げても、次々に新しい移民が入ってきて教育レベルが落ちてしまう。これはアメリカという国のジレンマです。しかしそれでも新しくアメリカにやってきた人達を受け入れ、教育し、アメリカ人に育てていくというパワーには、底知れぬものを感じます。

現在の総合大学は私立、州立ともに大学院が中心で、教授も学者タイプの人が多いのが特徴です。彼らは基本的に自分の研究をしたいと思っているため、十七、十八歳のひよっこの顔なんか見たくもないというのが本音のようです。そのため、大学一、二年の授業はほとんど教授の助手が担当しています。社会人を経験してから大学院に入った人など、年齢層の幅が広い大学院では、優秀な大学院生をTA（ティーチング・アシスタント）、またはRA（リサーチ・アシスタント）と呼ばれる助手にする制度があります。学費が免除される上に生活費の支援も受けられるので、このシステムは優秀な人をより多く集めることに大きく役立っていると言えます。

日本人もよく知っているUCLA、ハーバード大学、ミシガン州立大学、ボストン大学、ペンシルバニア大学などはすべて総合大学で、これらの大学に留学したいという人もたくさんいます。しかし、運よく入学ができたとしても、授業は百人、二百人といった大規模な教室で、しかも教壇に立つのはいつもTAばかりで有名教授はおろか、普通の教授の顔も見たことがない、ということになります。しかし、これでも文句は言えません。教授にしてみれば、「助手といっても彼らはトップ・レベルの総合大学で研究をしているような優秀な大学院生。なんの問題もない」といったところなのです。

日本人がこのような大規模の総合大学に留学すると、まず規模の大きさに圧倒されてしまいます。さらに個人指導もなく、小規模の大学よりもクールな学生が多いため友達もうまく作れず、孤独に悩まされることが少なくありません。こんな状況の中で八週間ごとに中間・期末テストがやってきて必死に勉強しなければならないというのは、かなりしんどいことになってしまいます。よほどアメリカの教育に熟知していて、英語力にまったく問題ないという人でなければ、総合大学への留学は難しいのではないでしょうか。

私の研究所からも、高校を卒業してすぐに総合大学に留学する人は、帰国子女やインターナショナル・スクールの出身者、高校三年間留学していた人などで、しかも少数です。

もし「やはりアメリカの総合大学に留学したい」と考えるなら、小規模のリベラルアーツ・カレッジに行ってアメリカの教育システムに慣れ、英語力が充分についてから総合大学に転校することをおすすめしたいと思います。もちろん、六十単位までなら転校先の総合大学に持って行くことができます。

ちなみに、総合大学は外国人向けの英語学校を持っているところがありますが、ここに入ったからといって優先的に総合大学に入学できるわけではありません。十七歳以上なら先着順で入学できるのはメリットですが、総合大学に入るときには成績、推薦状などあら

ゆる条件がとても厳しく、難しいのです。

アメリカの大学が重視する能力

アメリカの大学で特徴的なものに「スクール・カタログ」と「シラバス」があります。スクール・カタログとは、簡単に言ってしまえば「専攻科目ではどんなことを学ぶか」が書かれたもので、オンラインでも見ることができます。学生はこれを読んで卒業までに必要な単位数や必修などを調べ、入学後に担当教授と話し合って時間割を決めます。余談ですが、日本人留学生はスクール・カタログを読んでいないことがとても多く、そのため入学後に大変な苦労をしています。

これに対してシラバスとは「科目ごとの授業予定表」。その科目の主旨や学期中に読む本のリスト、レポートの課題から試験日、そしてどんな配分で点数をつけるか（例えば、期末テスト二〇％、クラス参加二〇％、レポート三〇％……など）までが細かく書かれたもので、アメリカの大学の授業はほぼシラバス通りに進められます。どんな内容の授業なのか事前に分かっているということは、授業内容に沿って完璧な予習をすることができるということ。アメリカの勉強は「予習ありき」なのです。

日本の勉強は、例えば歴史なら「奴隷解放は誰が行ったか？」という記憶力が試される質問に終始するのに対し、アメリカの勉強は「あなたがリンカーンなら奴隷解放を行ったか？」ということについて意見をぶつけ合うことをよしとしています。大切にしているのは、分析力や判断力、決断力なのです。これは、事前に「今度の歴史の時間は、奴隷解放についての授業がある」「自分がリンカーンになったと仮定して奴隷解放を述べる質問がある」ということをあらかじめ知っていないと、とてもたちうちできません。

このお話をすると、「留学生には無理」とか「英語力がないと無理」と思ってしまう人がたくさんいます。しかし、これは正反対。「予習中心の勉強」ということ、さらに「シラバスがある」ということは、留学生にとって大変有利に働きます。

一方的に先生の講義を聴く日本の大学のような授業を英語でやられてしまったら、どうでしょう。よほどの英語力がなければ授業についていくどころか、そもそも何について講義しているのかも分かるはずがありません。

しかし、シラバスを熟読することにより、次の授業内容をしっかりと把握することができます。授業内容が把握できたら、後は辞書と首っ引きで予習をすれば、英語に自信がなくても何についての授業をやっているのか分かりますし、先生が話している内容も分かる

ようになってくるものです。さらに、もし授業中に当てられたとしても、予習をしっかりしていれば答えることができます。

また、アメリカの大学では宿題でたくさんの本を読ませられ、それをもとに授業を展開していくパターンがほとんどです。ここでも、留学生は辞書を引きながら本を読み、事前に準備を整えておくことで授業についていくことができるのです。

予習が大事なのは、留学した後だけに限りません。渡米する前にスクール・カタログをよく読み、どんな勉強をするのかを日本でしっかり予習しておくことも、授業についていくために欠かせません。みなさんは「留学のための事前準備」というと、一も二もなく「英語力をつけること」と思いがちですよね。それよりも大切なのは、自分が授業でとるクラスの予習をしておくことなのです。

例えば「為替」「公定歩合」を意味する英単語に出合ったとき、それを日本語に置き換えることは辞書さえ引けば誰にでもできます。しかし、経済学を学ぶためには「為替」「公定歩合」の意味を完全に理解することが必要です。このように、留学先で困るのは、「今までまったく知らなかったことを突然英語で習うこと」なのです。自分がもともと知っていることなら、たとえつたなくても単語を並べて意見を言うことはできますが、まっ

たく知識のないことでは、たとえ辞書を引いたところで、〝お手上げ〟ではないですか。分析力や判断力、決断力が求められるアメリカの大学では、その人の「考える力」や「知識・教養」が欠かせません。

留学というと「TOEFL五百点は必要」と言いますが、たとえTOEFLが五百点あっても、英語ばかりでほかの勉強をおろそかにしていたり、留学先で学ぶ内容に対して無知だったり予習をしてこなかったりすると、これはまず授業についていけるはずがありません。先ほどの「為替」「公定歩合」の例で言えば、TOEFL五百点、経済学は知識ゼロの人と、TOEFLは五百点以下だけれども経済学の知識はある人とでは、断然「TOEFL五百点以下」の人の勝ちで決まりです。

予習が不可欠で、授業は自分の意見を述べる形式と聞くと、留学生にとってハードルが高いように感じられるかもしれません。しかし、しっかりと準備して授業に臨めば、「自分で考え、意見を述べる授業」は刺激的で楽しくなってくることが多いのも確かなことなのです。

〈コラム〉英語力を伸ばす最短距離は中学英語

今や誰もが「我が子に英語力をつけたい」と思っていると言って間違いありません。でも、英語力をつけることは、本当に難しいものです。韓国の小学校では、英語は必須科目なのですが、必ずしも成果は上がっていないのが現実で、小学生から英語を始めたグループと中学生から始めたグループを高校の成績で比較すると、小学生から始めたグループの伸び率はほんの少し高いだけで、逆に英語嫌いになってしまうケースが多いというデータが出ているそうです。

アメリカのテレビ番組で、赤ちゃんのときから繰り返し中国語の子ども向け番組のビデオを見ていたという子どもの話をやっていました。いかにも、いつの間にか中国語を話すようになっていそうな例なのですが、この子が中国語を覚えることはなかったそうです。ところが、ビデオに出ていた中国人のお姉さんが実際にやってきてこの子に話しかけたら、すぐに簡単な中国語の単語を覚えたのだとか。

こんな話を聞くと、外国語をうまく習得できる方法について、いつか解明されるような気がしてなりません。それには脳科学の分野の研究が欠かせないと思うのですが、人間はなかなか一筋縄ではいかない動物ですから、「これさえやれば」というわけに

はいかない気がしています。

しかし、今までたくさんの人達を海外の高校や大学に留学させてきた私としては、「英語がうまくなるのは、なかなか難しいわよね」で終わらせるわけにはいきません。数多くの「英語力が今ひとつの人達」を留学させた私が考える、英語力を伸ばすもっとも効果的な方法をご紹介しましょう。

それは、中学一年から高校一年までの英語の教科書を丸暗記してしまうことです。それも、ただ目で追うだけではいけません。繰り返し繰り返し音読して覚えるのです。「門前の小僧習わぬ経を読む」と昔から言うではありませんか。たとえ意味が分からなくても、音読しているうちにいつの間にか覚えてしまい、後になって意味が分かってくるというのは、よくある話です。みなさんだって「古池や……」と聞けば、その続きが頭に浮かぶでしょう？　英語だって同じことです。

音読して丸暗記（もちろん、嫌々覚えようとしても無駄ですが）してしまうと、なんとなく「この言葉の前には〝ｏｎ〟が来るとか、肌で分かるようになるものです。「そうはいっても文法が……」と思うかもしれませんが、そもそも文法なんて、後からつけたもの。基礎的な文章は、丸暗記が一番です。

これができていれば、TOEFLだと四百五十点、英検だと二級くらいはいけるはずです。この段階で留学しても、基礎がきちんとできているので大丈夫ですし、海外転勤になっても大丈夫。「どうしても英語で話さなければならない」という局面に立たされれば、きっとうまく話せるはずですから、心配することはありません。

もっとレベルの高い英語を覚えたい、というやる気のある人なら、英語の物語を読むことから始めてみてください。このときのポイントは、できるだけ薄い本を選ぶことと、難しい単語が多いものを選ぶことです。殺人のシーンがあるなど、ショッキングな情景が浮かびやすい物語を選ぶと、ますます覚えやすくなります。英語で物語を読むことに慣れてきたら、徐々に本を厚くしていきましょう。留学経験がなくて英語がうまい人を何人か知っていますが、彼らを見ていると英語での読書量が桁違いなのですから、読書は間違いなく英語力をつける方法だと思います。

私はこういった努力や根気がなく、お尻に火がつかないとダメなタイプですから、今ご紹介した方法を採っても、正直言って無駄になってしまいます。だから、オフィスの中で一番英語が苦手で、ボキャブラリーが乏しいのは、実は私。ボストン・オフィスに英語でファックスを送ることも多いのですが、その英語のでたらめさに、スタ

ッフはみんなあきれているようです（でも、実際の交渉となったら相手がどこの国の人であろうと、持ち前の迫力と押し出しと中身の濃さで連戦連勝なのですが）。

語学の習得ということについて、いつも思い出すのは知り合いの香港在住の中国人です。彼女のお父さんは中国人、お母さんは日本人でご主人はイギリス人、本人は中学まで香港で育ち、アメリカのイェール大学に留学して卒業した人です。英語、北京語、広東語、日本語がしゃべれるのですが、ご主人は英語しかしゃべれないし、三人もいるフィリピン人メイドはフィリピンなまりの強い英語をしゃべります。そんな彼女に赤ちゃんが生まれたから香港に会いに行ったのですが、さて彼女は何語で赤ちゃんに話しかけていたと思いますか？　これが意外なことに、日本語だったのです。

「どうして日本語なの？」と聞いたところ、彼女は笑いながらこう答えました。

「ヨーコ先生、教えるのが一番難しい言葉が何か、知ってます？　日本語なんですよ。だから、まず日本語を覚えてもらわなくちゃ。英語や中国語は後からでも大丈夫なんですから」

「小さいうちからとにかく英語をマスターさせる！」とやっきになっている日本のお母さん達に、ぜひ聞かせたいものだと私が思ったのは言うまでもありません。

第五章　危ない留学仕掛人

そもそも留学エージェントって？

親せき縁者や親しい間柄の人に留学経験者がいても、留学先を紹介できる人は稀で、「留学したい」という気持ちを持っていても、多くの人はどうすれば留学できるのかが分からないのではないでしょうか。

そんな人達にとって、留学という未知の扉を開いてくれるのが、留学先を紹介・斡旋する留学エージェントです。

私が「栄陽子留学研究所」を設立し、留学を希望するみなさんの相談に乗り、留学先を紹介するようになって今年（二〇〇七年）で三十五年になります。私達は、留学するだけではなく、アメリカならアメリカの大学を卒業し、人生を自らの力で切り拓いていく力をつけ、そして社会に貢献できる人間になるよう、アメリカの大学の攻略法を確立して事前に徹底的に指導することを第一に考えてきました。

そのために欠かせないのが、海外と日本の教育システムとの違いや勉強法を分析し、留学を希望する人達に理解してもらうこと。留学と言うと、とかく日本人は「まずは英語」と思いがちですが、「英語よりやる気」「英語よりも学力」「心身ともにタフ」ということをしっかりと理解してもらうことは必須だと考えています。

また、日本のような一斉受験というシステムがないアメリカの大学において、入学許可を得るためのノウハウをお伝えすることも、大切な使命だと考えています。

したがって、私の研究所では、学力や英語能力の高い人はもちろん、一流大学に入学させてきましたし、費用に問題がある人には奨学金が得られるよう、大学側と交渉してきました。

英語力や学力に問題がある人も、大学側と交渉してきちんと入学させ、かつ大学の授業についていけるよう、指導をしてきました。

アメリカには学生の進路指導のカウンセラーとして「ガイダンス・カウンセラー」がそれぞれの学校にいますが、私の研究所の役割はまさにこのガイダンス・カウンセラーだと自負しています。

私がこの仕事を始めて以来、続々と日本でも留学エージェントが生まれました。しかし、きちんと一人ひとりの学生の進路やその後の人生まで考えた指導をしているかというと、残念ながらそういう業者はごく少数だというのが実態です。

多くの留学エージェントはいくつかの大学を用意して商品化して留学希望者に売っています。「この大学なら学費が安い」とか「英語ができなくてもこの学校なら英語学校が併設

されている」など、まるで海外旅行の格安チケットを売るような要領です。こんなエージェントでは寮制のリベラルアーツ・カレッジを紹介してくれることはあまりありません。リベラルアーツ・カレッジは費用も高いし、大学がある町の名前や大学の名前は日本人に知られていない場合がほとんど、というのも理由でしょう。〝○○州立大学〟とか、〝ロサンゼルスにある大学〟といった大学のほうが分かりやすいので、そちらのほうが売りやすいという判断だと私は思っています。

旅行なら「安上がりでアメリカに行けたけれど、食事もホテルもお粗末だし行きたいところはすべてオプショナル・ツアーで高くつくし、さんざんな目にあった」で済むかもしれません。しかし、留学は旅行ではありません。人生の入り口に立った若い人にとっては、その後の人生を左右しかねないことなのです。

また、こうした留学エージェントでは、「アメリカの教育システム」「勉強方法」「卒業するためのノウハウ」を知っているところはありません。「入学はさせてあげるけれど、卒業は自己責任で」と言われればもっともな気がするかもしれませんが、前にもご説明した通り、「入学は簡単、卒業は難しい」というのがアメリカの大学。しかも、入学させるのが「誰でも入れる低いレベルの大学」だったりする上に、入学後はまず英語の勉強をさ

せられて、しかもそれが一年も二年も続いて、いつ本当の〝大学の勉強〟を始められるのかが分からなかったりするのです。これでは若い時期の貴重な数年間がもったいないと思いませんか？

「アメリカの大学への留学実績多数」と謳っている留学エージェントは、星の数ほどあることでしょう。しかし、問題なのはその実態です。留学させるだけでなく、留学前の勉強も含めてどんな準備が必要か、どんな学校に留学するべきか、留学先ではどうやってサバイバルすればいいか、そして、どうすれば卒業できて、その後の人生にどう役立てればいいのか……少なくとも、これらのノウハウを持っていないところに「留学したい」と相談しても、お金ばかりか貴重な時間を奪われるだけだということを、申し上げておきたいと思います。

留学エージェントの〝新商品〟

留学エージェントは基本的にビジネスですから、当然〝売れ筋商品〟を開発します。最近では「ワーキング・ホリデー」や「インターン」「ホーム・ステイ」「語学留学」などがそれに当たります。これらの宣伝文句は言うまでもなく「安い費用で海外生活ができて、

かつ英語もモノにできる」ですが、私に言わせれば、「うそばっかり！」です。

留学エージェントはもともと旅行会社や航空会社にいた人や、ちょっとした留学経験のある人がマンションの一室で安直に始めたところが多く、電話一本引けばすぐに始められるビジネスのため次々と増え、あらゆる商品を開発してきました。数からすれば「留学業界」ができあがっているわけですし、団体ができてもよさそうなものですが、そんなものはなく、また特別な資格も必要ないので、今では予備校や専門学校、人材派遣会社なども次々とこの業界に参入しています。

アメリカで留学ビザの取得が厳しくなったり、大学の学費が高くなったり、また9・11以降、アメリカは危ない国という先入観が広がると、「安全な国、オーストラリアに留学を！」なんてキャンペーンを張るわけです。オーストラリアやニュージーランドに大学が少ないなんて、おかまいなし！　と考えているとしか思えません。

「この大学なら推薦してあげる」という〝指定校推薦〟のシステムを作ったり、誰でも入れるコミュニティ・カレッジを「公立大学です」と胸を張って紹介したりと、新しい商品を開発する熱意は、大変なものがあります。もちろん、皮肉ですが。

一番新しい「商品」は、「留学奨学金」です。これに乗れば、奨学金をもらって留学で

きるというのです。もちろんエージェントに紹介料を払わなければなりませんが、奨学金をもらえるので学費が安くなるのでお得、というわけです。なかなかよいシステムのように思えますが、まず留学できる大学は選べません。一方的に大学を決められてしまうのです。しかし、大学に入るためには高いＴＯＥＦＬのスコアが要求されるため、なかなか入学許可が得られません。そのため、付属の英語学校に入ることになります。英語学校への紹介料は無料ですが、英語学校で授業料がかかり、その授業料の一割程度がエージェントに入ります。つまり、大学に入れても入れなくても、エージェントは損をしない仕組みになっているのです。

また、入学準備のために成績表や推薦状を英訳したり、ホーム・ステイや寮の申し込みをするなどの事務手続きに対して、細かく別途料金を取るのは、言うまでもありません。

いずれにしろ、留学エージェントがやってくれるのは渡米して入学させるまでのことで、どんな大学が向いているかの進路指導をしたり、大学に入学してから時間割の組み方や授業についていく方法、外国人留学生としての注意点などを教えてくれるわけではないのです。ましてや、日本人ばかりの英語学校で英語力が上がらなくても、それは本人の責任ということでおしまいです。そのため、色々なトラブルが起きていることは、もう言うまで

もありませんね。

　私も留学カウンセラーとして、この業界が活気づくのはよいことだと思ったこともありました。しかし、彼らのあまりにも無責任なやり口を見ていると、腹が立つのを通り越して悲しくなってしまうのです。

マルチ商法まがいの留学エージェント

「とにかくどんなところでも入学させればいい」というのが留学エージェントですが、最近詐欺かマルチ商法まがいのやり方をする留学エージェントもあるということを、みなさんはご存知でしょうか。

　その代表的な例が「指定校推薦」です。

　数年前まで、日本の高校三年生の下に「指定校推薦」と書かれた封筒が届いていました。いわゆるダイレクト・メールなのですが、地味な茶封筒にもっともらしく「指定校推薦」と書かれていると、受験を控えて神経質になっている高三生は反応してしまいます。

　そこで封を開けてみると、「アメリカの六十の大学が加盟している連盟が、あなたの学校を指定校に推薦し、そこの生徒を優先的に留学させることになりました。詳細につきま

しては説明会を開催しますので、興味のある方はご参加ください」と、ざっとこのようなことが書かれているのです。

今までは日本の大学しか考えていなかった子でも、このダイレクト・メールで初めて「日本の大学ばかりじゃない。留学という方法もあるんだ」と思ってしまうことでしょう。そこで説明会に行くと、まず「アメリカ留学はこんなに素晴らしい」というビデオを見せられます。

その内容は、「東北大学に合格したけれど、それを蹴ってテキサスでもっとも優秀な大学に留学したら、夢のような一流企業に就職することができた」「アメリカの大学に留学し、今では世界的に活躍するビジネスマンに」など、将来に不安を感じている高校生が見たら、たちまちうっとりしてしまうような〝実例〟ばかり。つまりは「日本の大学よりもアメリカの大学のほうがずっと素晴らしい。留学はあなたの人生をバラ色に変える」と、まさに洗脳していくのです。

留学希望が決まると、次は簡単な実力テストを受けさせられます。そして、その結果を見ながらのガイダンスは、ふたりのカウンセラーを通じて行われると言います。このふたりは役割分担が決まっているのか、ひとりが「この成績では、残念ながら留学は難しいね」

と現実をつきつけ、もうひとりが「でも、留学したいんだよね。だから説明会にも来たんだし、テストも受けたんだよね」とまるで救いの手を差し伸べるようなことを言います。

夢のようなビデオを見せられ、テストまで受けてしまうと今まで留学を考えたこともないような子でも、思わずこの言葉にうなずき、いつの間にか留学したくてたまらないような気持ちになってしまうのです。

そしていよいよ、合格通知が発行されます。もちろん、日本語のものです。その詳細を記した書類には、小さな文字で「一週間以内に三百十万円振り込まないと、合格は取り消しになる」と書いてあるのです。

つまり、この生徒にとっては「三百十万円振り込めば、辛い受験勉強から解放されるだけでなく、アメリカの大学に留学できる」ということになります。高校三年生にとって、まさに誘惑と言えるでしょう。

しかし、この三百十万円は手数料だけ。学費や渡航費はもちろんまったく含まれていません。「留学はこんなに安い！」とたくさんの大学を並べるのが彼らのやり方ですが、実際に推薦してもらえる〝指定校〟は「学費＋寮費＋食費」で一万ドルくらいの大学です。ちょっと高いなと思っても、「旅費やおこづかいを含めても、年間二百万円くらいで済み

ますよ」と言われてしまうと、地方の子なら、「東京の大学に受かって、ひとり暮らしをすることを考えれば、かかるお金は同じくらい」と親を説得できるかもしれません。また「アメリカの大学なら、日本の大学よりレベルが高いので箔がつく」「英語がマスターできる」と言うかもしれませんね。

そしてアメリカの大学に着くと、まず英語のテストを受けさせられます。これにクリアできれば晴れて入学となるのですが、たいていは合格することができません。すると、「付属の英語学校に入ってまず英語の勉強をしてください。成績が上がれば、大学に入れてあげます」ということになります。これが〝条件付き入学〟です。

しかも、ここまで読んで来た方ならもうお分かりでしょうが、これで入学できる〝大学〟というのは、実はその州の人なら誰でも入れる州立大学なのです。

私はこんなやり方は〝詐欺まがい〟だと思うのですが、留学エージェントの紹介料は法的に規制されているわけではありませんので、これでも違法行為ではありません。

こんな〝留学エージェント〟がまかり通っているのが現実なのです。

現在はダイレクト・メールの規制が厳しくなったので、留学エージェントは営業マンをたくさん雇って、直接高校に出向いて「あなたの学校がアメリカの大学連盟から指定され

ました」と、〝指定校推薦〟を売り歩いています。

なんの知識もない留学カウンセラー

前にもお話しした通り、アメリカには約四千もの大学があります。ひとつの州にはリベラルアーツ・カレッジや州立大学がいくつもあり、州立大学だけをとってみてもトップ・レベルから誰でも入れる低レベルの大学までたくさんあるのは普通です。

日本の高校を想像してみてください。各都道府県に公立高や私立高がいくつもあり、「公立」だけをとってみても、毎年たくさんの東大合格者を輩出しているような上級校もあれば、中退者が続出するような荒れた高校もありますよね。それとアメリカの大学事情は同じようなものなのです。

ところが、一般の方の多くはそれを知りません。それどころか、プロであるはずの留学エージェント、留学カウンセラーも知らないケースが多いのです。

以前、私のオフィスに、とある留学エージェントから「『ボストン大学』か『マサチューセッツ・ユニバーシティ』への留学を希望している人がいる。弊社は現地日本人サポート・センターと提携を結んで留学手続き全般を行っているのだが、ボストンには提携のサ

ポート・センターがない。ついては御社（栄陽子留学研究所）に手続き全般をお願いできないか」という内容のメールが届いたことがあります。

ボストンには「ボストン・カレッジ」と「ボストン・ユニバーシティ」というのがあり、両方とも日本語に直せば「ボストン大学」になるのですが、ともに私立の名門でまったく別の大学です。両校ともSATと呼ばれる全国共通テストの結果や入学審査を受けるための書類（推薦状やエッセイなど）も内容の濃いものが要求されます。寮制ですので学費、寮費、生活費も高額で、言ってみればお金持ちで、かつ超優秀な生徒が集まるところ。日本では高校を卒業したばかりの学生がやすやすと入学できるような大学ではありません。

日本では「ボストン・ユニバーシティ」のほうが知られているようですが、地元ボストンでは「ボストン・カレッジ」がなかなかの有名校です。また、「ボストン・ユニバーシティ」には英語学校があるのですが、英語学校で英語能力が上がったからといって、大学に入学させてくれるわけではありません。

対して「マサチューセッツ・ユニバーシティ」ですが、そもそもマサチューセッツには「ユニバーシティ」とつく州立大学が、それこそピンからキリまでいくつもあります。

そのすべては「ユニバーシティ・オブ・マサチューセッツ・アムハースト」などと「ユ

ニバーシティ・オブ・マサチューセッツ」の後に続きがあるのです。ところが、私にメールを送ってきた留学エージェントは「マサチューセッツ・ユニバーシティ」と言うばかりで、まったく要領を得ません。

そこで詳しく聞いてみると、「その留学希望者は〝ボストンに親せきがいるので、このふたつの大学を選んだ〟と言っている」というだけ。まったくあきれた話としか言いようがありません。

余談になりますが、「親せきが住んでいる国（または都市）に留学したい」という希望を持つ方はたくさんいますが、これがうまくいかないケースはとても多いのです。

だいたい、実の親でさえ持て余す思春期の若者です。最初はお互い遠慮があるのでうまくいったとしても、半年くらい経つとささいな感情のもつれが積み重なり、やがて太平洋をはさんで留学生の親と親せきが喧嘩を始め、とりかえしのつかないことになる事態は、もう一般的と言ってもよいでしょう。

ともあれ、「ボストンに親せきがいるから」という理由で留学先をボストンにしたいという希望から、どうやら「ボストン・ユニバーシティ」か「ユニバーシティ・オブ・マサチューセッツ・ボストン」だと推測できましたが、いかんせんこのふたつの大学のレベル

は天と地ほどの差があります。

「ユニバーシティ・オブ・マサチューセッツ・ボストン」は寮もなく、レベルもさほど高くない大学なので、英語の成績さえ上がれば、高校の成績や推薦状、エッセイなどはとくに重視しない大学です。入学審査に必要な書類も複雑ではなく、なんとか本人が用意することができますが、「ボストン・ユニバーシティ」ともなると、こうはいきません。アメリカ人の優秀な高校生でも自分の高校のガイダンス・カウンセラー（進路指導の先生）にこと細かに指導してもらいながら必要な書類を用意しないと、なかなか手ごわい難関校なのです。

「このふたつの大学の差をご存知ですか？　もしこのふたつ以外のボストンにある大学を希望しているとしたら、ボストンには音大や女子大なども含めて四十もの大学があることをご存知ですか？」

留学エージェントにこのような確認メールを送ったところ、それきり音信不通になってしまいました。きっと、何も知らなかったのでしょうね。

この話を聞くと、極端な例だと思われるかもしれませんね。しかし、「アメリカの大学への留学実績〇〇〇人！」などと謳っている留学エージェントでも、全米すべての大学の

レベルや入学条件などを熟知していることは稀。それぞれのエージェントには「得意な地域」があり、「英語に自信がない」「自分でも入れる学校に」という留学希望者は、各エージェントに都合のよい学校に入れられてしまうのです。

もちろん、そのほとんどが「条件付き入学」と呼ばれるもので、まずは英語学校に入り、「英語の成績が上がれば入学できる」というお決まりのものです。

そもそも、英語学校で英語力が上がるくらいならわざわざアメリカまで行かなくても、日本の英語学校に通っても上がるものです。だいたい、六年も八年も英語を勉強したのに上がらなかった英語力が、場所を変えたくらいで上がるわけがありません。

私の研究所のボストン・オフィスには、「英語学校に通っても英語力が上がらない。大学に入れない。どうしたらいいでしょう」という相談がよくあります。そんなときは、すぐにリベラルアーツ・カレッジに交渉して〝つっこんで(入学させて)〟しまいますが……。

こんな悲劇に巻き込まれないよう、まずは自分で情報収集することが大切。今はインターネットが発達した時代です。パソコンが苦手というなら、留学関連の書籍を見るのもよいでしょう。留学の実態をよく知らないまま夢だけは大きくふくらませ、後はエージェントにすべてお任せ……こんなことでは、貴重な若い時代の数年間を棒に振る可能性が大き

いということを、ぜひ認識していただきたいものです。

ＮＰＯなら安心？

旅行代理店を兼ねていて、留学希望者に合った大学を探したり、卒業を目指した指導ができない留学エージェントはかなりの数にのぼります。何も知らずこんな業者に依頼すると、とんでもないことになるのは火を見るより明らか。となると、留学を成功させるためには、何より信頼できる留学エージェントに依頼することが不可欠となります。

そこで注目を集めているのが、「ＮＰＯ」の留学エージェント。歴史の古いものから新しいものまで、相当数のＮＰＯの留学エージェントが存在します。

みなさんもご存知の通り、ＮＰＯとは広い意味では非営利団体（利益の再分配を行わない組織・団体一般）のことで、営利団体（つまり、会社）と正反対の性質を持つものです。簡単に言ってしまえば「儲けることを目的としない組織や団体」がＮＰＯで、社団法人や財団法人、医療法人、学校法人、宗教法人、生活協同組合、はては地域の自治会などや各種のボランティア団体や市民活動団体もＮＰＯに含まれます。

もともとＮＰＯの法人格を取得するには行政機関の許可が必要でした。しかも活動に制

限が多く、簡単にＮＰＯ法人になることはできませんでした。そこで新しく法律（特定非営利活動促進法）が作られ、今までよりも簡単かつ自由に法人格が取得できるようになったのです。

ところが、法人手続きが簡単であるため、本来は会社やその他の法人として設立できる事業体も特定非営利活動法人として設立し、ＮＰＯを名乗るケースが多くなってしまいました。中には営利企業のペーパー・カンパニー的なものや犯罪組織も交ざっていると言われています。

つまり、「ＮＰＯの留学エージェント」は本来「留学を希望する日本人のため、利益度外視で留学斡旋を行ってくれるところ」だったのですが、中にはＮＰＯを隠れ蓑にした悪質な業者が交ざっている可能性もあるということ。これは留学エージェントに限らない話なのですが、「ＮＰＯ」と名乗っているから安心とは言えないのが実情です。

では、どうやって質の高い留学エージェントを探せばいいのでしょうか。

まず大切なのは、一軒ですべて決めてしまわないということ。例えば、家を買うとき、最初に入った不動産屋ですすめられるままに決めてしまう人はいないでしょう。何軒か訪ねてみて、もっとも対応のよいところ、誠意のあるところに決めるのではないでしょうか。

家でなくても、何百万円という買い物をする場合は何軒も見て歩き回り、足を棒にしてよいものを扱っている店、親身になってくれる店員がいる店を探すはずです。

留学だって同じこと。買い物なら金銭的損失だけで済みますが、とくに若い人の留学の場合は、人生そのものを大きく変えてしまいかねないのです。第一章でお話しした、ストリート・キッズのようになってしまったお嬢様の話や、四年間を棒に振った男の子の話などを思い出してください。あのような例は、本当に多いのです。こんな結果を招かないためにも、留学エージェントは慎重に見極めなければなりません。

その見極めポイントのひとつが、「実績」です。よく、「アメリカの大学に○万人留学させた」と謳い上げる留学エージェントがありますが、これを「実績」と思ってはいけません。「アメリカの大学は、入るのは簡単、卒業するのは難しい」ということを思い出してください。

大切なのは「入学すること」ではなく、「卒業すること」。つまり、留学エージェントを選ぶときに着目すべきことは、「入学させた」実績ではなく、「卒業させた」実績なのです。

送り込んだものの、後は放置しっぱなしとか、留学前に何をすべきかの指導もしていないところでは、アメリカ人でさえ難しい卒業ができるはずがありません。

留学で問題になるのは、英語ではありません。教育システムの違いを理解することやシラバスの読み方、時間割の組み方、単位の数え方など、知っておかなければならないことは、たくさんあるのです。しかも、留学を希望する人といっても、「親は留学させたがっているけれど、子どもはその気ではない」とか、反対に「子どもは留学したがっているけれど、親が反対している」など、そのケースは様々です。

留学するべきかどうかを含めたカウンセリングをし、留学する意志が固まったら事前の勉強法から準備、入学審査のための書類作成をし、きちんと卒業できるように指導ができないような留学エージェントには、早々に見切りをつけるべきです。

また、多くの留学エージェントは「この大学なら学費が安く済みます」と誘うことがよくあります。これに乗るのは、まさに大切なお金をドブに捨てるようなものだということは、改めて申し上げておきたいと思います。

〈コラム〉親には理想のアメリカ教育。けれども……

アメリカの寮制の高校、ボーディング・スクールは、親にとってまたとない理想的な教育環境です。門から寮まで歩いて十五分も二十分もかかるというほど広大なキャンパス。周囲は自然以外何もないというほどの田舎で、欲望をくすぐる刺激的な店はもちろん、コンビニさえありません。先生の家や校長の家も寮と同じ敷地内にあるし、看護師が二十四時間常駐しているなど、医療体制は万全、しかも起床時間から就寝時間はもちろんのこと、予習復習、スポーツの時間までスケジュール管理されているのも、はめをはずしたりだらけたりしがちな子どもを持っている親にしてみれば安心できるというものです。

もちろん、いじめがあったり隠れて飲酒したりと、そこには様々な問題があるでしょうし、ひどいルームメイトに当たって辛い思いをするかもしれません。

しかしそれでも、私はアメリカのボーディング・スクールは素晴らしいと思っています。

大自然に囲まれて健康的な生活を送ることができるというのもその理由のひとつですが、何より「人間とは、人生とは、そして自分とはなんなのか」を考えさせる教育

は、なかなか日本で受けることができない、ということが最大の理由です。

少人数のクラスできめの細かい授業が受けられ、「ほめて育てる」を基本に結果よりも努力を評価してくれる教育を多感な十代の頃に受けられるのは、のちの人生を大きく決定づけるほどの影響があるのではないでしょうか。

とはいえ、慣れないアメリカで修道院のような生活を強いられてストレスをためこむ子どもが多いのも現実です。私の研究所の調べでは、ボーディング・スクールに留学した高校生がそのままアメリカの大学に進学するのは、全体の半分。もう半分は日本の大学を帰国子女枠で受験しています。

流暢な発音で英語を話すようになったからといって、帰国後にTOEFLを受けさせてみると、期待するほどの点数が得られなかった、というのもよく聞く話です。

高校生からの留学ですから、親の期待も大きいし、少しでもよい教育環境を与えたいという親心もあることでしょう。

しかし、そこで生活し、教育を受けるのはあくまで子ども自身だということを忘れてはなりません。ボーディング・スクールの本質をよく理解した上で、それが我が子に合っているかどうかは、親も子もともによく考える必要があります。

実は私も、ボーディング・スクールの素晴らしさを知り、「ぜひ我が子をボーディング・スクールで学ばせたい！」と思った親のひとりです。

しかし、実際にボーディング・スクールを見た当時中三の次男の言葉は、「教育には理想的な環境かもしれないけど、こんな田舎で、毎日何しろっていうわけ？　オレは三日でアゴを出すよ」

拒否しているものを無理強いはできないと留学は断念したのですが、結局進学した日本の高校で色々あって、高一のときにボーディング・スクールに留学しました。その後、このままアメリカの大学に入ってくれれば……という親の期待を裏切り、次男は日本の大学に進学したのです。日本の大学で完全に遊んでしまった次男ですが、このときのことを思うと、「子どもの教育の難しさ」を改めて思わずにはいられません。

私は長年留学カウンセラーとして多くの人の教育に携わってきたと自負していますが、自分の子どもに対してはこんなものです。

第六章　これから求められる留学のあり方

親は子どもをどう育てたいのか

留学カウンセリングに長く携わっていると、「ぜひ我が子を留学させたい」という親御さんに多く出会います。中には「できるだけ早くから、小学生から」という親御さんもいて、頭が痛くなる思いをすることも数えきれません。そんな親御さんに出会うたびに思うのは、「いったいこの人は、我が子をどう育てたいのか。どんな人生を送り、どんな人間になって欲しいのか」ということばかりです。

おそらくそんな親御さんが考えているのは、「頭のいい子になって欲しい」なんでしょうね。

幸福感とは人それぞれによって違いますし、国によっても異なるものです。とにかく健康で食べるのに困りさえしなければ幸せという人は世界中にたくさんいますし、その一方で富と名声に恵まれなければ幸せとは言えない、と断じる人もいます。

衣食住に困らない現代の日本では、「幸せ」を実感しにくいのかもしれません。それでもなお、人は「幸せになりたい」「我が子に幸せになって欲しい」と願うものです。

ここで忘れないで欲しいのは、頭のよさが常に幸せに結びつくものではない、ということ。頭がよく、素晴らしい学歴の持ち主になったとしても、近くで見ていて幸せそうに見

えない人というのは、多いものです。

高卒だけど、仕事にやりがいを感じ、しかも多彩な趣味を持って、充実した日々を送っている人は幸福そうに見えますし、一流大学を出ていても仕事に不満を持っているような人生を送っている人は不幸に見えるものです。よくよく後になって考えると、無理して大学に行かなくてもよかったのにね、と言いたくなる人もいます。

日本ではとかく学校の成績に結びつく「記憶力のよさ」や集中力などの〝習得能力の高さ〟が、頭のよさとされがちですよね。

しかし、今はコンピュータ・テクノロジーが進んだ時代です。記憶力が怪しい人でもコンピュータでカバーできますし、自動同時翻訳機がもっと発展して、まったく英語がしゃべれなくても英米人と対等にコミュニケーションを取ることができるようになる時代は、すぐそこまで来ていると私は思っています。記憶力や語学力はあってもなくてもどっちでもよいという時代が来る可能性は、とても高いのです。

となると、親が子どもに求める「頭のよさ」や「幸せの形」はどういったものが望ましいのでしょうか。このことは個々の親が考えなければならないことですが、ひとつ言えるのだとしたら、「自分で考える力」を持った子どもは強い、ということ。さらに、コツコ

ツと地道な努力を重ねることができる忍耐力があれば、申し分ありません。

習得能力のよさだけでなく、物事を深く考え、自分なりの考えをまとめることができる能力を持ち、そして努力することを苦としない子どもは、どんな会社に入っても、どんな国に行っても、そしてどんな時代になっても困らないものです。

小さい頃から背が高い子もいれば、高校生くらいになって急に伸びる子もいますよね。脳の発達もこれと同じで、早くから勉強ができる子もいれば、なかなかできない子もいるものです。「天才も二十歳過ぎればただの人」とはよく言ったもので、「後から考えれば、そんなに悲観することはなかった」ということも、よくあります。

偏差値や成績、記憶力など目に見えるものばかりが評価されてしまうと、それらの能力に欠けていたり、あるいはそれらの能力がまだ育ちきっていない子どもは「自分は頭が悪い」と自ら思い込んで、劣等感のかたまりになってしまいかねません。そんな悲劇を招かないためにも、親自身が「頭のよさとは何か」を見極め、辛抱強く子どもを導くことが大切です。

いい大学を出て会社人間になる時代はもう終わった

小さい頃から脇目も振らず勉強して、中学校受験はおろか、小学校受験、幼稚園受験すら珍しくないのが今の日本です。一流企業でさえ倒産する時代だというのに、「いい大学に入ることができればいい会社に就職できる。いい会社に就職できれば生涯安定して暮らせる」という学歴信仰はまだまだ根強く残っています。学歴は日本における宗教のようなものかもしれませんね。

ところが、ひとたび世界に目を向けてみると、日本のような「一流大学さえ出ていれば」という考え方の特殊さが自然と分かるはずです。

留学の最大のメリットは、ここにあります。

日本では「とにかくいい大学に入りさえすれば、後は遊んでいてもいい」ということを言いますが、アメリカでは「一流大学に入れば人生の勝利者になれる」ということは絶対にありません。必死に勉強して教養を身につけ、自分の人生を切り拓いていく力が問われるのがアメリカの大学であり、社会です。

留学することによって日本の学歴信仰という価値観はひっくり返されます。いい大学を出ていい会社に入れば幸福な人生が約束される、という考え方がとっくに時代遅れになっ

ているとも、痛いほど実感するでしょう。

「日本もアメリカ型の競争社会になる」と言われてから、ずいぶん経ちます。徐々に変わり始めているのは確かなことですが、それでもまだ学歴信仰は続いているし、学閥のある会社は多いし、一流企業の安定性に対する信頼感は崩れていません。しかし、今の高校生が社会に出る頃には、本格的に日本の社会がアメリカ型になっている可能性はとても高いと言えます。

そんな時代になると、自然と教育のあり方も変わってくるだろうし、就職に対する考え方も変わってくるはずです。

キャリア・アップを目指し、より自分を高く売り込める企業を求めて転職を繰り返すことは珍しくなくなるでしょうし、自分を磨くために社会人になってから大学や大学院に入り直すことも当たり前になってくるでしょう。現に、今でも新卒の三分の一が三年以内に会社を辞めているではありませんか。

だとすると、今までのように「とにかくいい会社に就職すること。そのためにはいい大学に入ること」と、子どもを厳しく苦しい受験戦争に駆り立てることは、意味のないことだし、子どもがのびのびと育ったり、自分の人生を考えるチャンスを奪うことになりかね

ません。

勉強などする必要はない、と言うつもりはまったくありません。自分の能力を伸ばすため、可能性を広げるためにも、よりよい人生を送るためにも、ステップ・アップを目指すためにも、勉強は必要です。

しかし、勉強の最終目標を「いい大学に入って、いい会社に入ること」とするのは、もはや時代遅れだと申し上げたいのです。

日本の大学生は、せっかく大学に入って、専門性の高い教育を受けられるチャンスが目の前にあるというのに、今まで遊べなかった分を取り戻すため、あるいはもっと怠けていたいため授業も受けず遊んでばかりいたり、学習意欲をなくしている学生ばかりです。

それゆえ、大学四年間で学力が伸びなかったり、ひどいときには大学に入るまでに学んだことをすっかり忘れてしまい、学力が低下してしまう学生もいます。現に、大学四年生になって留学を考え始めたというのに、学力も英語力もすっかり落ちてしまい、とても留学どころではない学生は、みなさんが考える以上に多いのです。

留学したいと考えている高校生は、高二くらいで留学するべきか、日本の大学に入るべきかと悩む子が少なくありません。親が子どもを海外に行かせることに強い不安を感じて

いたり、医師など国家資格が必要な職業を目指しているというなら話は別ですが、そうでない場合、私はとりあえず日本の大学に行くべきだと考えています。そうしたうえで、留学をじっくり検討すればいいのです。というのも、日本の大学で取った単位は六十単位までそっくりアメリカに持って行けるので、決して無駄にならないからです（ちなみに、アメリカの大学で取った単位を日本の大学に持ち帰ることはできませんので、注意してください）。

日本も大学院時代に突入している

日本とアメリカの大学を比べたとき、もっとも違いを感じる点、それは、〝大学院に対する考え方〟ではないでしょうか。アメリカの大学院は、専門性の高い教育が受けられ、自分のキャリアを上げるために入学するところで、社会人になってから大学院に入る人がたくさんいることは、すでにお話しした通りです。

これに対して日本の大学院は研究のための機関という性質が強いのがその特徴。大学院でも理系でしかも工学系など、実務と結びつくことが多い専攻だと就職に有利になるケースも多いのですが、文系では年齢も高く、社会経験も乏しいとの理由から企業が採用を控

えてしまいます。ゆえに大学院を修了した後、就職で苦労する例が多いというのが実態です。そのせいもあって大学院に残って研究を続ける学生が多く、博士号を取得しても定職につけない「オーバードクター」の存在は、社会問題にさえなっています。

また、大学卒業後、就職できなかったために「就職浪人よりは」と大学院に入るケースも多く、ステップ・アップのために大きな威力を発揮するアメリカの大学院と比べて、その差は歴然です。

だからといって、「日本の大学院を出てもまったく意味がない」というわけではありません。文系の大学院を出て社会で活躍し、実績を残す人もたくさんいます。そうした人達は何を学びたいか、どう将来に結びつけたいかなど、しっかりとした目的意識を持って進学し、入学後も努力しているのです。

やはり、最後は本人のやる気と目的意識次第。これは世界中どこに行っても変わりありません。

しかし、最近になって日本の大学院も国際化の波を受けて、資格の取得や仕事のスキル・アップを目指して社会に出てからも学べるよう、進化を始めています。その代表的なケースが「社会人大学院」。弁護士など法曹界を目指す人達、あるいはＭＢＡ（大学院経

営学部修士）の取得を目指す人達のための「専門職大学院」も、社会人大学院と言えるでしょう。

これら社会人大学院は、仕事をしながらでも学べるよう夜間に開講したり、交通の便がよいサテライト・キャンパスを設置したり、通信制の大学院や、衛星放送を使って地方にいても授業を受けられるなど、様々な工夫がこらされています。

社会に出て出世したり、ある程度のレベルの生活を送りたいと思ったら、常に自分を磨き、資格を取ったり、社会人になってからも大学や大学院で新しい勉強をすること。そうでもしなければ、何が起きるか分からない時代についていくことは不可能だということは、もう世界の常識と言っていいかもしれません。

大学さえ選ばなければ、すべての受験生が大学に入れるという〝大学全入時代〟はすぐそこまで来ています。なんでも二〇一〇年から本格的な〝大学全入時代〟に突入するのだとか。大学がつぶれることが珍しくもなくなるでしょうし、たとえ一流大学を出ても、一生を保証される仕事に就けるとは限りません。

そんな時代では、社会人になっても努力を続け、チャンスをつかみ勝負する目を持つことが必要です。

となると、日本の学校教育も変わらなければなりません。「なぜ勉強するのか」という目的意識を育てることが必要ですし、大学もアメリカ並みに「入学はやさしく、卒業は難しく」すること、成績が悪い学生はどんどん退学させることも必要でしょう。入学させるときも〝付属の高校〟を優先させない、いくら偏差値が高くても同じ学校からたくさん採らないという「バラエティに富んだ学生をバランスよく採る」というアメリカの方法は、とても参考になります。

また、大学もアメリカのような全人教育を目的としたリベラルアーツ型教育と、専門型の教育を選べるようにし、そのどちらからも大学院に進学できる道を拓くべきです。

日本のように企業が新卒者一斉入社のシステムを採っている国は、ほかにありません。これが続く限り、就職に有利な大学を目指す、という考えは改まりません。そうではなく、年齢に関係なく能力がある人に幅広く門戸を広げなければならないでしょう。

自分を高めるための勉強と努力を続ける人が高く評価されるようになる時代は、日本でもすぐそこまで来ています。

日本の若者達は「生きる力」が弱い

このことを意識している日本人はきっと少数ですが、世界的に見て日本はとても恵まれた国です。戦争や紛争があるわけではないし、医療システムは整っているし、食料危機もなく、よほど極端なケースをのぞいてどの家庭でも、明日の食べ物を心配することはありません。

しかし、そんな恵まれた国だというのに、最近気になるのは、子ども達の〝生きる力〟の弱さです。

今の子ども達は「とにかくいい学校に行っていい大学に入れば、いい会社に入れて生涯安泰なんだから、よけいなことを考えなくていい」という教育をされてきたため、生きるための努力をするということを教えられていません。

昔の子ども達は野や山で友達と一日中遊び回っているのが当たり前でした。自然の中で遊ぶということは、自分で工夫して遊び方を考えなければならなかったし、友達とうまくコミュニケーションを取らなければならないこともありました。また、一歩間違えば命が危ないというシーンにも出合っていたものです。

そんな中で子ども達は知恵をしぼって考え、うまく遊びが続く方法を見つけだしたり、

危険を回避する方法を学んだり、嫌な子をかわす方法を学んでいきました。そうして成長していくことで、〝自分の力で様々な問題を解決し、より多くの喜びを得る〟という生きる力が子ども達の中に自然と備わっていったのです。

ところが、今の子どもはどうでしょう。友達と体を使って外で遊ぶ機会は年々少なくなり、一日中ゲームをしている子も珍しくありません。小学校中学年ともなれば塾通いに明け暮れ、意味も分かっていないのに「いい学校に行くことが目標」と言う子は、たくさんいます。

そんな子ども達を見ていると、「生きる力が弱くなった」と痛感せずにはいられません。

私がこれからの時代を担う子ども達に身につけて欲しいと願っているのは、生きることそのものに努力する力であり、自分の目と耳と足とカンを信じて世界を生きていく力にほかなりません。

先ほども申し上げた通り、日本はとても恵まれた国です。しかし、そのことを知っている子どもはごく少数しかいません。しかし、世界に目を向ければ日本がどれほど恵まれているか気づくはずですし、恵まれない国々の人達に自分が何をすべきか、ということも考えるのではないでしょうか。

私が若い人達に留学をすすめているのは、何より自分の目で他国での生活を通して、日本を見つめ直して欲しいからです。そして、日本でしか通用しないような価値観をひっくり返し、自分の足で生きていく力を身につけて欲しい、そんなことも思っています。

留学ほど、スリルと興奮とサスペンスに満ちたものはありません。価値観も習慣も違う人達とうまくやっていきながら、自分の意志を通す強さも必要なら、学校が要求する単位をしっかり取るために厳しい勉強を続ける努力も必要です。遊びたいという気持ちとも闘わなくてはならないし、自分の甘さや至らなさを突きつけられても、それを受け入れつつ、そこでめげずにがんばる意地も欠かせないでしょう。

親元を離れて遠い外国で勉強し、卒業を迎えるためには、多くの精神的苦痛が伴います。しかし、それを乗り越えて得られるものこそが生きる力であり、自分に対する自信ではないでしょうか。

また、外国にいると自分の国や家族、そして自分自身について客観的に、そして深く考えることが多くなります。〝愛国心〟と言いますか、自分の国のよさは、外国に出て初めて知ることも多々あるものです。これは、とても大切なことだと思いませんか?

英語力や国際性などを身につけたいから留学したい、させたいと願う人もいることでし

ょう。しかし、それは二の次というもの。ひとり異国で戦いながら強く大きく成長していくことこそ、望んで欲しいものです。

もちろん、そのためには本当に留学に向いているかどうか、留学させるにしてもいつ留学させるべきかなど、真剣に考えなければならないことは、たくさんあります。

留学目的だってそうです。子どもに英語力をつけて欲しいと思う気持ちの正体が、自分の英語コンプレックスにあったなんて話は、掃いて捨てるほどあるのが実態です。

留学させたものの心配でたまらず、毎日国際電話をかけたり、ひどいときは自分も一緒について行って子どもの面倒を見るという親もいます。こんな人達を見ていると、「子離れができていない」と思わざるを得ません。

留学は子どもにとっては自分を成長させるため、親にとっては子離れするための大きなチャンスなのです。たくさんの挫折を経験するかもしれませんが、それを乗り越えるために耐える強さと、それを黙って見守る我慢強さを、留学する人と、見送る人の両方に身につけていただきたいと願ってやみません。

第七章　世界から見た日本人の留学

アジアの若者とアメリカの大学のつながり

アメリカには、アメリカン・ドリームを信じて世界中からたくさんの人が集まってきます。様々な国の出身者がアメリカ人となった結果、異なった価値観や習慣がごちゃまぜになり、その中で折り合いをつけながら自国の価値観と正義、公正を求め続けているのがアメリカという国だと言うこともできます。

そんな国柄を反映して、アメリカの大学には世界中からの留学生がやってくるし、大学もそれを受け入れ続けてきました。

そんな留学生の中では日本人の割合が高かったのですが、最近になって中国や韓国、インドなど、アジア諸国からの留学生が増えてきました。

アジア諸国からの留学生は、日本人留学生とはちょっと違います。日本人留学生の多くが留学の目的を「英語をマスターするため」としているのに対し、彼らの目的は「成功するため」。裕福な家庭の子どもも留学していますが、そうではない家庭の子どもが一族の期待を一身に背負って渡米するケースも多く、のほほんとした日本人留学生に対して真剣さが違うということも珍しくありません。

アジアの国々では、「動産と不動産と教育こそが本当の財産」という考え方が一般的で

す。政情が不安定な国では、どんなにお金を貯めようと、株を持とうと、一瞬にして紙切れに変わってしまうことも珍しくありません。

政情が不安定な国や発展途上の国ほど教育熱心なのは、いい教育を受けることこそが現在の苦しい生活から抜け出せる方法だと誰もが思っているからです。また、一族の誰かが他国にいると、たくさんの情報が入ってきますので、それも彼らが子どもを熱心に留学させる理由になっています。

そのため、日本以外のアジアの国々からやってきた留学生達は、勉強への取り組み方が違います。また、日本人のように英語に不安があるからといって留学をためらうことがなく、さらに「まず語学学校に留学して、英語力がついたら大学へ編入」という経済的な余裕がないため、自国で必死に英語の勉強をしてすぐに大学に留学してしまいます。「ここで失敗したら、親が必死で貯めた留学費用が無駄になる」「中途半端なまま自国に帰っても食べていけない」という思いから、彼らは死にものぐるいで勉強し、しっかりとした結果を残していきます。

日本人がアメリカの語学学校に〝留学〟して日本人同士でつるんで遊んでいる間に、大学院まで進んでサクセスを手に入れるのは、こんな人達なのです。

アジアの若者がアメリカに留学するもうひとつの目的は、人脈作りです。アメリカのよい大学には、それなりの地位の親を持つ子ども達が数多く集まっていますし、大学院ともなれば将来のエグゼクティブ候補が学友としてたくさんいます。そんな人達と意識的につきあうことで、自分が将来仕事を始めたときに、ビジネス・パートナーとして、あるいは仕事の可能性を広げる人脈として、大いに役立ってくれるのです。こんな視点を持つ日本人留学生は、残念ながらなかなかいません。

ほかのアジア系学生の留学目的はとても現実的です。やはり、日本は裕福で恵まれているのでしょうね。「留学に失敗しても日本に帰ればいい」という甘さを持っているようでは、「失敗したらすべてが水の泡」「何も手にせず帰るわけにはいかない」という、まさに崖っぷちの人達に敵うはずもありません。

日本人が求めてやまない〝英語力〟についても同様のことが言えます。現在の苦しい生活から抜け出すための学力、実力を身につけようとアメリカに留学する人達は、どんなに授業が難しかろうが大量に宿題を出されようが、必死に食いついていってサバイバルしなければなりません。英語が分からないからといって尻込みしている余裕はないのです。

多少英語が怪しくても、発音がひどくても、どんどんアメリカ人に話しかけ、分からな

い単語は聞き出し、授業で分からないことがあれば先生に質問していきます。このように積極的に英語を使うことで貪欲に英語を学んでいき、語学学校に通うより早く英語をマスターしていくのです。これぞまさしく「生きた英語」と言えるのではないでしょうか。

現在、様々な分野で日本は中国や韓国、インドなどに追いつかれ、追い越されようとしています。これは留学についても同じことが言えるのかもしれません。彼らの〝必死さ〟は、日本の若者にもぜひ見習って欲しいものです。

太平洋をはさんで、人の大移動が起きている

アジアの若者がアメリカの大学を選ぶのは、自国で就職し、高い地位を得るためだけではありません。彼らが最終的に望んでいることは、「アメリカで学び、アメリカで就職し、アメリカで高い地位を得ること」。これは「アメリカで学んだことを、日本で就職して生かす」と考えがちな日本の若者と大きく異なります。

貧しい国々の若者は他国で仕事をし、生活の拠点を母国から外国に移すことに、抵抗感がありません。自国での苦しい生活を離れ、外国で苦労しながら学び、サクセスを手に入れたら母国から家族を呼び寄せたり、将来は自国に帰って事業を起こし、大金持ちになっ

てレベルの高い生活を送ることが、彼らの成功モデルなのです。

一年必死に働いても得られる収入が数十万円、というような国では、必死に働いてお金を貯めたり、一族郎党から借金をしてでもアメリカに留学し、アメリカで働いたほうがその数十倍もの収入が得られるのです。そして、そのお金を持って物価の安い自国に戻れば、アメリカで暮らすよりも数十倍よい生活が送れます。

だからこそ彼らは死にものぐるいで勉強をするのだし、死にものぐるいで働いてステップ・アップしようと日々努力を重ねるのです。親が子どもの留学のために必死で働いてお金を貯めるのも、親族がお金を貸すのも、もしその子がアメリカで成功すれば大きな見返りがあるからこそ。彼らにとって教育はまさに投資なのです。

その結果、一族の中に海外で学ぶ人、海外で働く人、海外で成功を収めた人がたくさんいるという状態になります。また、海外に人脈を持つ人も多くなります。このことによって、彼らの一族がますます留学をしやすい状況を生んでいます。

彼らの成功は、一族に富をもたらすだけではありません。彼らが自国に持ち帰ったビジネス・モデルやシステム、教育に対する考え方は一族以外の人達や国全体にも影響を与え、国を活性化させるのに大きく役立っているのです。

アジアの富裕層は当たり前のように子ども達を留学させ、欧米のトップ・クラスの子弟同士で交流を深めます。留学がかなわない貧困層の人達は、移民をして仕事のチャンスをつかむとともに、人脈を作り上げてサクセスを目指します。まさに上から下まで、太平洋を越えてネットワークを作っているのです。それだというのに日本の若者は語学留学ばかりだし、企業派遣で留学するチャンスに恵まれた優秀なビジネスマンも、視線は自分の会社に向きっぱなしです。

国際化が叫ばれてからずいぶん経ちますが、私は今や世界はつながり、どこでも働ける時代が来ていると思っています。インターネットの発達は、まさにこのことを証明しているではありませんか。自分の部屋から世界中どこへでもつながることができ、世界中の人とコミュニケーションを取ることがこんなに簡単になるなんて、二十年前には想像できなかったことです。

アジアの国々が「日本に追いつけ、追い越せ」を合言葉にしていると言われていたのはもう昔のお話で、彼らの目はすでに太平洋を飛び越えているし、太平洋をはさんだネットワーク作りに向いているのです。その中で、日本だけがポツンと取り残されているように思えます。

このようなアジアの実態を、もう少し日本人も理解したほうがいいと思うのは、私だけなのでしょうか。

世界の中で孤立しかねない日本人の教育観と留学観

太平洋を越えてサクセスを求め、自分が活躍できる場を求めるアジアの若者達は、日本人の若者以上に「国際化社会」を肌で感じているはずです。

それなのに日本人は留学となると、「英語のマスター」を筆頭に挙げるばかり。将来のことを考えるにしても、「留学経験によって、日本での就職を有利にする」とか、「留学したら就職が不利になる」と考えたり言ったりする人が多いなど、発想が日本国内を越えることがありません。

教育に対してもそうです。「大学全入時代」を間近に控え、能力のない人は淘汰されてしまう時代がすぐそこまで来ているというのに、「大学全入時代だからこそ、よりよい大学に入らなければ」と思い、ますます受験戦争が過酷になり、小さいうちから勉強漬けになる子が、これからはもっと増えそうな気配もあります。

どんな大学に入ればよいかに始まり、どんな資格を取ればよいか、どんな業種に進めば

よいか、どんな企業に入ればよいかなど、「将来に対する不安」はいつの時代にもあります。

しかし、その答は誰にも分からないのではないでしょうか。一流企業がバタバタ倒産したり、将来有望と思われた資格が技術の進歩によって不要になってしまうことを、ここ十年で日本人は目の当たりにしてきたはずです。「これさえあれば一生安泰」ということは、決してないのです。

しかし、どんなものにも好奇心を持ち、どんな苦境に陥っても這い上がる道を探すような生きる力や、一生勉強を続ける努力を重ねられる気概を持っていれば、時代がどう変化しようと必ずサバイバルできるのではないでしょうか。

アメリカの教育は、まさにここに主眼が置かれています。そして、アジアの国々を始めとする留学生達も、そんなアメリカの教育観に基づいて学ぶことを望み、自国に広めつつあります。

そんな中で、せっかく留学するチャンスがあっても英語力のことしか考えられず、教育もとにかく詰め込み型・暗記型。大学に入ったら入ったで「これで目的は達成した」とばかりに勉強をやめてしまい、学力を落としてしまうのが日本の実態です。

そのため日本の大学はアメリカの大学と比べてレベルが低く、世界の大学を格付けしたところ、東大は百位くらいになってしまったというレポートもあります。だからでしょうか、レベルの高い勉強を求めるアジアの人達が選ぶ留学先は、なんと言ってもアメリカがナンバーワン。いくら近いとはいえ、そんな人達のターゲットにもはや日本は入っていません。

日本の教育観や留学観は時代遅れで、すでに世界で孤立しかけているのです。

いつの時代でも、「よりレベルの高い教育を受けたい」と思う人はいるものです。普通なら「ベストは東大」といったところでしょう。そのために塾や家庭教師、そして東大への進学率が高い私立校へ入学させるなどして、莫大な教育費を投じる家庭もたくさんあります。

でも、私は「そんなに教育費をかけるなら、東大だけでなくアメリカの大学も選択肢の中に入れなさい」と言いたいのです。

小学校から大学まで私立に通ったり、塾や家庭教師などにお金をかけてレベルの高い大学を目指したり、あるいは地方から仕送りを続けながら東京の大学に通わせるなど、教育費は決して安く収まりません。それと小学校から高校まで公立校に通い、アメリカに留学

する教育費を比べたらほとんど同じということもよくあります。

莫大なお金をかけて子どもが大学で遊びほうけているのと、アメリカで生きる力を身につけながら高いレベルの教育を受け、生涯勉強を続ける気概が持てるように育つのと、どちらがよいでしょう。

考えるまでもなく、答は留学ではないでしょうか。

お金を不動産や株に投資する人や、ブランド品の購入に使う人もいます。人それぞれの価値観だと言えばそれまでですが、バブル経済が崩壊したとき、今まで持っていた株や不動産の価値が大暴落したことは、まだ記憶に新しいですよね。

暴落することがない投資、それが自己を確立させるための教育なのです。ここから考え直すことが、時代遅れで世界から孤立しそうな日本人の教育観や留学観を変える第一歩なのかもしれません。

これからの英語教育のあり方

「英語を学びたい」「英語がしゃべれるようになりたい」と一度も考えたことのない日本人は、たぶんいないのではないでしょうか。

英語力をつけるには「英語で何かをしなければどうにもならない」という状況に自分を追い込んでしまうことが一番で、まったく英語が話せないのにアメリカに移民してきた人達は、それこそ「英語を話さなければ仕事ができない、仕事ができなければ生きていけない」という状況に追い込まれるからこそ、驚異的なスピードで英語を覚えていくのです。

留学の場合も、「英語を勉強する」ではなく、「英語で勉強する」ほうが英語力も学力も伸びていくもの。

しかし日本では今でも「英語を勉強する」という考え方が一般的です。小学校から英語の授業を取り入れることが検討されているのもそのためでしょう。

言葉は勉強する対象ではなく、道具だと私は常々思っています。道具は使うことで磨かれ、武器になっていくのです。国際化が進む社会では、英語という武器はないよりあったほうがいいに決まっています（自動翻訳機が誕生すれば、英語という武器も今ほどの威力を発揮しなくなるでしょうが）。

ところが「英語力は武器になる」と考える人達は、どうも英語力がありさえすればステップ・アップが叶うと信じているようですが、そんな考え方は日本でしか通用しません。

海外では「英語力のレベルよりも、あなたは何ができるのか」が問われます。英語力が

申し分なくても学力がない人より、英語力は発展途上だけど学力がある人のほうが留学しても苦労しないことはすでに申し上げましたが、海外でビジネスをするときも同じことが言えます。つまり、英語力があっても実務経験や仕事内容についての知識がない人よりも、英語力は今ひとつだけど実績も知識もある人のほうが採用されやすいのです。

例えば、英語はペラペラだけど、いつもツンとして冷たい旅行ガイドと、英語がうまくないけれど、なにごとにも一生懸命な旅行ガイドがいたとしたら、あなたはどちらのガイドを選びますか？　私だったら多少英語が下手でも、一生懸命働いてくれるガイドを選びます。お高くすました人がトラブルにあっていたら、「プロなんだから、自分でなんとかしたら？」と多くの人が思いそうですが、いつも一生懸命の人がトラブルに巻き込まれていたら、たぶんみんな救いの手を差し伸べることでしょう。ビジネスには、そんな一面もあるものなのです。

「英語力がありさえすれば」と信じ込んでしまうことには、日本の教育機関や企業にも責任があります。今やすべての入学試験に英語が入っていますし、仕事内容にまったく関係なくても入社試験には英語の試験が入っています。そのため、「英語さえできれば」と信じ込んで子どもの頃から英語漬けにするようなむちゃな親が生まれてしまうのです。

この悪い風習を断ち切るには、高校、大学、就職の試験から英語の科目を取り去ってしまうことが必要です。大学は学ぶ内容に合った試験をするべきだし、就職だって仕事内容に役立つ知識の有無を確かめるための試験をするべきです。使う必要もないのに、英語力を調べる必要は、どこにもないのです。

もし試験から英語の科目がなくなるか、あったとしても初歩的なものだけにすれば、今のように「何がなんでも英語力」という考え方はなくなるはずでしょう。子どもに英語を学ばせることだって、そこに受験がからんでくるからやけに必死になる親や、小さな頃から留学させようというむちゃな親が出てきてしまうのです。

子どもに英語を学ばせ、英語に親しませることはよいことです。受験に関係がなければ、もっと楽しんで英語に親しむことができるはずだし、日本語が不充分なのに英語漬けになって、肝心の日本語が怪しくなってしまうという悲劇は起こらないのではないでしょうか。英語ができれば未来が広がるというのも思い込みなら、英語ができなければ留学もままならないというのも思い込み。

中三レベルの英語教育を充実させ、「英語で何をするか」を考えさせること。それがこれからの英語教育に欠かせない視点ではないでしょうか。

恵まれた若者は世界に貢献せよ

欧米では、お金持ちや教育レベルの高い家庭に育ったり、小さな頃から成績優秀だったりすると、まず言われるのは「あなたはとても恵まれているのだから、大人になったら社会の役に立つ人間になりなさい」ということ。

裕福な欧米人がボランティア活動に積極的に取り組んでいるのも、この風潮があるためです。とかく「個人主義が強い」と思われがちなアメリカ人ですが、こうしたボランティア精神には、見習うべきものがあります。

中南米からの移民でアメリカの学校へ通う人達は、自国で食うや食わずの生活を送っている人がほとんどですし、アジアからの留学生も裕福な家庭の子ども達がいる一方で、自国での貧しい生活を変えるためにアメリカを目指す人もたくさんいます。しかしながら日本では、アメリカへの留学を考える若者は、経済的な苦労がない家庭に育った子がほとんど。つまり、アメリカ留学をする人は、恵まれた人達なのです。

そんな人達が、自分が英語力を上げることや、自分の就職のことばかり考えているという現実は、残念としか言いようがありません。日本人のほうがアメリカ人よりよほど個人主義なのかもしれませんね。

確かに、欧米人のボランティア精神のベースにはキリスト教の隣人愛や博愛精神があるのかもしれませんし、ほとんど無宗教の日本人にはボランティア活動や博愛を実践することにためらいがあるのかもしれません。

それでもなお、私は恵まれた若者には、世の中に貢献して欲しいと思うのです。

それは、ボランティア活動でもいいのですが、自分が学んだことを社会に役立てることだって、立派な社会貢献です。

環境問題に取り組むのもいいですし、経済の地域格差をなくすシステム作りに取り組むのもいいでしょう。難病に苦しむ人達を救う方法を考えたり、人々を癒す音楽を作るなど、自分が学んできたことを生かす方法は必ず何かあるはずです。

日本という小さな島国で偏差値のことばかり気にして受験に取り組み、大学に入ったら遊びまくる。卒業が間近に迫ったら今度はよりよい企業に入ることばかり考え、社会人になって初めて社会の現実を知って愕然とする……。これが、日本の若者です。

留学という機会を得て日本を飛び出し、厳しい教育システムの中で苦労しながら、自分探しをする経験を積むことで、どんな人でも日本という国を意識するようになるものです。そのとき、ぜひ持って欲しいと願うのは「地球人」という大きな視野です。

地球が今どんな状況に陥っているかを考え、地球人として国を越えた仲間とともに何ができるかを考えること。そして、どんなにささいなことでも、自分にできること、役に立てることを考えることは、恵まれた人の使命だとさえ言えます。

そのような若者が日本に増えていけば、きっと日本の教育システムも、日本の価値観も、そして日本という国自体も変わっていくことでしょう。日本が変わるための刺激を与えることも、広い目で見れば立派な社会貢献です。

これからは、環境問題も食料問題、資源、人口問題もすべて地球規模で考えなければ解決できません。日本人であると同時に地球人であるわけですから、ぜひ日本や世界や地球のために役立つ人になるという気概を持って欲しいと願ってやみません。世界に貢献するという視点を持った若者が増えれば、日本の教育システムも世界基準に追いつくことは、きっと夢ではありません。

〈コラム〉一九七〇年、私のアメリカ留学

三十五年間留学カウンセラーとして多くの日本人が海外で学ぶチャンスをお手伝いしてきましたが、私自身もかつては留学生でした。

私がアメリカ留学をしたのは、今から三十七年前、一九七〇年のことでした。

自宅から歩いて行ける私立のエスカレーター式の学園で学び、大学卒業を間近に控えた私は、わけの分からない不安でいっぱいになっていました。

その頃、女の子はいいお嫁さんになればいいという考え方がまだまかり通っていた時代でしたが、私はもちろんのこと、親も「大学を卒業したら当然働く」という考えを持っていたのです。しかし、当の私は社会に出るのが怖くてたまりませんでした。

なんの能力もなければ、人に誇れるスキルもなかった当時の私は、丸裸で社会に放り出されるような感覚に、足がすくんでしまったのです。その一方で、「何かほかの人と違ったことがしたい」という思いだけは、強く持っていました。

社会に出るのが怖い、でも人と違うことがしたいという思いが強まるうちに、「このままではいけない。自分は変わらなくてはいけない」という気持ちがふつふつとわいてきました。でも、自慢ではありませんが集中力がなく、なにごとにも飽きっぽく、

すぐに怠けてしまうという自分の性質も痛いほど分かっていたので、「自分が変わるためには、どうしようもない状況に追い込まなければ」と思うようになりました。

誰も助けてくれない、ごまかしも利かない、明日があると居直ることもできない……そんな状況が、いったいどこにあるのでしょう。

それこそが、言葉の通じないアメリカだと思ったとたん、私はアメリカに留学することを決めました。どうにもならないところで、本当に自分に何ができるのか、試してみたかったのだと思います。

当時はＴＯＥＦＬも今ほどシステム化されておらず、留学先の大学も「ＴＯＥＦＬが○○点以上なければ入学を認めない」なんて細かいことを言わない、言ってみればのどかな時代で、私はセントラル・ミシガン大学というミシガンの州立大学にある大学院に留学先を決めました。決め手は教育学部があったことと、私の親友の親せきの知り合いがその大学の近くに住んでいたという、か細いつてがあったことだけ。ミシガンにはミシガン大学やミシガン州立大学という名門大学があることを知ったのは、留学してからずっと後のことでした。

母校の先生方が、大学祭の実行委員を務めたことを始め、様々な活動をしていた私

のためにとびきりの推薦状をたくさん書いてくださったため、私はすんなりと大学院に入学することができました。

渡米してミシガン大学の付属英語学校に入ると、そこにはすでに数十人の日本人がいました。もともとおしゃべり大好き、人が大好きな私です。たくさんの日本人、とくに初めて聞く〝東京弁〟を操る関東の人達との会話がおもしろく、たちまちアメリカでの生活に溶け込んでいきました。

とはいえ、おしゃべり相手はいつも日本人ですから、英語がうまくなるわけがありません。日常生活で必要な英語はできるようになったものの、そんなものは中三までの英語の授業で習ったものを思い出しただけで、文法無視で単語を並べただけ。それ以上の英語力なんて、つくはずもありません。

当時の英語学校には、イラン人の姿もたくさんありました。パーレビ国王時代の陽気なイラン人ともたちまち仲良くなったのですが、彼らとの会話ときたら、「ヨーコ、ご飯行く？　僕達行く。レッツ・ゴー！」といった具合で、外国人同士の英語は〝超エエカゲン〟、でもそれで通じ合っていたのです。

そんな楽しい生活の中、突然大学院から届いた手紙を読んで、私はびっくり仰天し

てしまいました。なんせ突然「あなたの英語力を調べるのを忘れていたので、大至急ミシガン・テストの結果を送ってください」と言われたのですから。

ミシガン・テストとは、ミシガン大学で実施していた英語のテストのことで、当時はTOEFLより有名でした。確かに入学したとき、クラスを決めるために受けていたのですが、その点数ときたら、確か百点満点の六十二点か六十三点くらいのお粗末なもの。このテスト結果を提出するのがためらわれたのは、言うまでもありません。

そこで、私は大学当局に手紙を書きました。

「私は日本で中学から大学までの八年間英語を学びました。その上、私はこの大学に留学し、ミシガン方式に則って猛勉強中です。それなのに、どうしてこれ以上私の英語力を疑うのでしょう」

つたない英語ながら必死で手紙を書き上げると、アメリカ人の友達に英語を直してもらって大学に出したところ、「そういうことなら、いいでしょう」とすんなり通ってしまったのです。

今でも私は「TOEFLのスコアが悪くっても、留学するのに問題ありません！」ときっぱり言い切っていますが、そのルーツはここにあるというのは、みなさんもう

お分かりですね。そのときの心境を言うなら、「TOEFLに限らずテスト結果を〝値切る〟なんて、簡単なこっちゃ」です。

こんなふうにして英語学校ではいい加減な英会話能力しか身につかないまま、約三か月後には大学院での授業が始まりました。

ところが、私には自分がなぜこのクラスを採っているのか、何を教わっているのか、なぜこんなにしょっちゅうテストがあるのかさえ分からず、ひたすら途方に暮れたのです。無理もありません。私はアメリカの大学や大学院が単位制だということや、秋と春の学期が十六週間で独立していること、八週間ごとに中間テストと期末テストがやってくることさえ知らなかったのです。成績は大学でC、大学院でB平均を割ると退学になることや、オリエンなんかなくて、あらかじめスクール・カタログを読み込んでおいてから担当教授と時間割などを決めなければならないことなど、必要なことのすべてを知らないまま、ただ呆然とわけの分からない授業を受けるしかありませんでした。

しかし、呆然としてばかりはいられません。私がどれほど孤独と闘い、どれだけ悔し涙を流し、どれだけ恥をかき、そして地団駄を踏んだことか。これをいちいち書い

ていけば、悲劇として一冊、喜劇としてもう一冊、本になることでしょう。

　そして三学期間を終え、アメリカの地を踏んでから一年半後にやっとの思いで修士号を得たときに思ったことは、「人生はすべて自分との闘いである」ということでした。

　それと同時に、「一生なにごとにも興味を持って行動し、自分の足と頭とカンを信じて自分の責任で人生を切り拓いていこう！」と強く思ったことは、四十年近く経った今でもはっきり覚えています。

　当初、留学期間は二年と決めていたのに予定より半年あまってしまったので、例によっての押しの強さで、面接のみでオハイオ州立大学の博士課程に入学しました。

　アメリカの修士課程はレベル的に日本のしっかりした大学の四年生くらいで、言ってみれば「ちょっと頭の回転が速ければ取れる」程度のものだと私は思っています。しかし、博士課程となると本当に緻密にコツコツと勉強しなければ、とてもたちうちできるものではありません。

　一ページ読めば眠くなってしまうような本を、どうして私が理解できるでしょう。つくづく自分が勉強に向いていないことを思い知ったのは、このときでした。

それでも、セントラル・ミシガン大学で生まれて初めて真剣に教科書を読み、自分の考えをまとめてレポートに書き、ディスカッションで意見を言うということに必死で取り組んできたおかげで、「勉強するとはどういうことなのか」について深く考え、そして知ることができました。ついでに、自分の能力は勉学には向いていないことも、痛いほど知りました。当たり前です。野球好きの男の子がすべてイチローになれるわけではないし、卓球が得意な女の子のすべてが愛ちゃんになれるわけではないのですから。それでも、自分の限界を知るということは、とても大切だということも、私はそれこそ自分の骨に刻むように、はっきりと悟ることができたのです。

自分の限界を知ると同時に、自分の能力の可能性に気づいた私は、もう博士課程になんの未練もありませんでした。

「いっちょう私の人生、勝負してやろうじゃない!」

そう思って意気揚々日本に帰って行ったのは、一九七二年のことでした。

あとがき

金銭的にであれ、能力的にであれ、恵まれた人間は長じて社会にお返しをしなければならない――。

これは欧米で当たり前のように言われていることです。お金持ちが多額の寄付をしたり、天才的なＩＱの持ち主が国家のために貢献しているというニュースを聞くと、この考え方が深く浸透していることを感じずにはいられません。

世界一のお金持ちと言われたビル・ゲイツは、五十歳でビジネスの最前線から退き、金儲けから社会貢献へと人生を切り替えました。こうした人達がいるからこそ、文化が花開き、社会が発展するのでしょうね。

ところが、日本はどうでしょう。私は日本は社会貢献ではなく、ジェラシーの国のように思えてなりません。

うちの子よりできる子がいるのは腹が立つ、少しでもほかの子に勝ちたい……こんな感情が、いったい何を生み出すというのでしょうか。

そもそも、能力の高い人は、大いに人類のため、また国家のために働いてもらわなければ

ばなりません。金持ちや天才が働くほど、一般人は暮らしがどんどん楽になっていくのです。

日本人は、金持ちや天才が凡人よりも幸せと思っているのかもしれません。しかし、私は思うのです。「人の幸せは、そんなことでは推し量れない」と。

欧米には宗教があり、自分を含めた人間の幸福というものを考える土壌がありますが、日本は〝幸せ〟を考える基準というものを失ってしまったようです。

現代人は、戦国時代の農民の苦しさや不幸を理解することはできません。しかし、その人達が初めて真っ白いご飯をお腹いっぱいに食べたときの幸福感も分からないのです。

人間にはひとりひとりの悲しみや苦しみ、そして幸福感があります。辛さや酸っぱさを知っているからこそ甘さが分かるように、深い悲しみがあるからこそ、天に昇るほどの幸福感を味わうことができるのです。

お金持ちや天才的な頭脳の持ち主など、恵まれた人達は、どれほど幸福だろうと凡人は考えます。しかし、彼らには彼らの楽しみがあると同時に悲しみもあります。そう、凡人達にも楽しみや悲しみがあるように。

留学をする人も、恵まれた人達と言うことができます。外国で学べるというだけでなく、外国に出ると自分の家族や自分自身について客観的に見つめ直すチャンスがたくさん与えられるのですから。

同時に、言葉の通じない世界で孤軍奮闘することによって大きく成長し、外国の懐の深さを知ることもできます。

そんな人達は、恵まれた教育を受けたことを親に感謝するだけでなく、日本や世界のために力を尽くし、リーダーシップを取ってもらいたい。私はその一心でこの仕事を続けてきました。

日本は長く、おかしな平等主義をよしとしてきました。今でも小学校の卒業式で贈る言葉や贈られる言葉を生徒全員がひとりずつ言うとか、学芸会では主役を作らないとか、わけの分からない「平等」が大きな顔をして歩いています。

ところが本音は、幼稚園以前から我が子を少しでも前に立たせたいという不平等意識が親の中で燃え盛っているものです。そもそも学校の先生自身、世の中がどれほどの競争にさらされているのか知っているはずなのに、形ばかりの「平等」にこだわるのは、本当に

おかしな話です。
アメリカでは、しっかりしたお母さんほど、子どもに「あなたは隣の子と同じではないのだから、自分の考えをしっかり持ちなさい」と教育します。みんながそれぞれ違うことを認めることこそが「平等」であり、どんな人もその気になればチャンスを与える教育を目指しているのがアメリカです。若くても年を取っていても、本人次第でアメリカン・ドリームを達成できる社会、これこそが、本当の意味での競争社会ではないでしょうか。

日本が今までのようなおかしな平等主義にとらわれているうちは、真の意味での競争社会は訪れません。このままでは、真のリーダーは育たないでしょう。どんな国家も社会も、リーダーがいなければまとまっていけないというのに、強いリーダーシップを持つことを目指す教育をすることは、日本では嫌われています。まったく人間の本性に反しているではありませんか。

子どもの生きる力が弱くなったと言われるようになってずいぶん経ちます。私自身も、このような日本という国の未来をどうすればいいか、ほんの少しでも手助けできることは

ないかと考えているひとりです。

留学エージェントという仕事をしている私にできることは、自分が日本人であることをよく自覚し、世界のスケールでものを考えられるリーダーシップのある若者を育てることです。

留学をした若者に、「恵まれている分だけ社会にお返しをしろ！」と檄を飛ばしているのは、ひとりでも多くの若者が、この国を背負って立ち、世界を視野に入れ、地球を背負って立つ人間に育って欲しいと願っているからにほかなりません。

この本を読んで、少しでも世界に目を向けてくれることを願ってやみません。

扶桑社の田中亨さんの熱意とライターの堀田康子さんのお力で本書が完成いたしました。心より感謝申し上げます。

二〇〇七年二月

栄　陽子

栄 陽子（さかえようこ）
留学カウンセラー。栄陽子留学研究所所長。米ティール大学名誉博士。昭和45（1970）年、帝塚山大学卒業。昭和46年、米セントラル・ミシガン大学大学院教育学部修士課程修了。昭和47年、栄陽子留学研究所設立。昭和63年、栄陽子留学研究所ボストンオフィス設立。平成5（1993）年、米メリー・ボルドウィン大学理事就任。平成12年には栄陽子留学研究所大阪オフィスを設立し、現在に至る。平成2年にエンディコット大学栄誉賞を受賞したのを皮切りに、サリバン賞、メダル・オブ・メリット（米エルマイラ大学）などを受賞している。主な著書に『栄陽子が教える決定版アメリカ大学進学』（三修社）、『留学の常識＆非常識』（講談社インターナショナル）、『アメリカ大学ランキング』（国際教育出版）などがある。平成19年には全米の大学の長所・短所を含めた特徴を細微にわたって案内したホームページ、「アメリカ大学ランキング」を開設している。

扶桑社新書　008

留学で人生を棒に振る日本人

2007年4月1日初版第一刷発行
2007年7月20日　第四刷発行

著　者………栄 陽子
発行者………片桐松樹
発　行………株式会社　扶桑社
〒105-8070　東京都港区海岸1-15-1
電話　03-5403-8870（編集部）
03-5403-8859（販売部）
http://www.fusosha.co.jp/

装　幀………WISH BONE
ＤＴＰ制作………株式会社パルス・クリエイティブ・ハウス
印刷／製本………株式会社廣済堂

造本には十分注意しておりますが、乱丁・落丁の場合はお取り替えいたします。購入された書店名を明記して小社販売部宛にお送り下さい。送料小社負担でお取り替えいたします。なお、本書の一部あるいは全部を無断で複写複製することは、法律で認められた場合を除き、著作権の侵害となります。

©Yoko Sakae 2007, Printed in Japan ISBN 978-4-594-05344-4

S0-AWL-098